COMO TE VES, ME VI

Una historia que podría ser la tuya

Germán Quintero

COMO TE VES, ME VI

Una historia que podría ser la tuya

grijalbo

COMO TE VES, ME VI
Una historia que podría ser la tuya

Fotografía de portada: Víctor Bernal

1a. reimpresión: junio, 2002

© 2002, Germán Quintero

D.R. © 2002, por EDITORIAL GRIJALBO, S.A. de C.V.
   (Grijalbo Mondadori)
   Av. Homero núm. 544,
   Col. Chapultepec Morales, C.P. 11570
   Miguel Hidalgo, México, D.F.

www.grijalbo.com.mx

ISBN 970-05-1461-7

IMPRESO EN MÉXICO

*Sería maravilloso
que el ser humano
fuera capaz de hacer un pacto
con la razón y la verdad,
en lugar de hacer un pacto
con la necesidad de tener
la razón y la verdad.*

Serían como las 6:30 de la mañana cuando despertó (*¿despertó?*), bueno, cuando abrió los ojos cargando a cuestas esa inevitable pesadez física y mental que sigue a varias horas de fiesta. Claro que hay de fiestas a fiestas, y ésta se convirtió, como muchas anteriores, en un caos generalizado donde "hubo de tocho", como ellos solían decir.

Sin embargo, a Jaime la experiencia de la noche anterior le había dejado un sabor diferente, quizá por haber conocido al tipo ese (*¿cómo se llamaba?*), quien entre tragos y "churros" le dijo cosas que ni sus padres, ni sus prof esores, ni los curas le habían mencionado, seguramente por no haberlo experimentado:

—¿Qué te pasa, güey?, le estás metiendo reduro.

—Yo sé mi pedo.

—¡Ni madres!, si lo supieras no estarías como loco.

—¿Y tú, qué chingaos, quién eres pa'decirme lo que debo hacer?, bueno, pa'empezar ¿quién eres?

—También soy cuate de Beto, pero no vivo en México, sólo estoy de paso unos días.

—¡Ah!

—No me quiero meter en tu pedo, pero si le sigues llegando tan duro al drink y a todo lo demás, me cae que te la vas a complicar.

—¡Serás de Alcohólicos Anónimos o una jalada de ésas!

—No soy de ninguna jalada de ésas, pero a mí ya me pasó algo bien pinche.

—¿Ah sí, qué te pasó?

—¡Puta, casi me muero!, mejor dicho, me morí pero como que volví, no sé, es un rollo muy loco.

—¡No te la jales así, que te la arrancas!

—Total, si te vale madres ahí nos vemos, pero ¡me cae que te puedo ayudar!

¿Quién era ese tipo, y por qué se le había acercado con tanta decisión a compartir algo que no era normal en ese contexto?

Por otra parte, en el fondo de su ser, aunque no quisiera aceptarlo, había algo que remotamente le decía que estaba cayendo en excesos; sin embargo, ¿qué era lo que le empujaba a rechazar todo lo que le sugerían sus papás, maestros, y en general lo que oliera a autoridad?

Por supuesto que a esas figuras las consideraba hipócritas, incluso farsantes, ya que lo que percibía del mundo de "los adultos" era a menudo contrario e incongruente con los valores que predicaban. ¿Acaso no era obvio que los políticos se matan con una facilidad e impunidad impresionantes, y qué decir de los funcionarios encargados de combatir el delito y que, sin embargo, lo protegen, y los escándalos sexuales del presidente del país supuestamente más "avanzado", y bueno, la corrupción casi generalizada? Con franqueza, no encontraba la conexión entre todo esto y los mensajes de "la autoridad".

Alguna vez escuchó que los "traumas" y las "heridas" de la infancia pueden manifestarse más adelante en actitudes de rechazo a las figuras de autoridad, o aun en cualquier tipo de conducta absurda con tal de llamar la atención u obtener la aceptación de un grupo. Sin embargo, hasta donde él podía recordar, su niñez no había sido tan conflictiva.

¿Había sido agredido, ofendido, ridiculizado, ignorado, menospreciado? Nunca le concedió atención al tema. ¿Sería acaso que el desquiciamiento glandular de la adolescencia le estaba descubriendo fuerzas ocultas incubadas con el tiempo?

De repente recordó una de las canciones del grupo Molotov que más lo "prendieron" la noche anterior.

Ya todos sabemos, pa' qué nos hacemos,
a todos nos lleva a unos más, a otros menos,
a todos nos tienen muriéndonos de hambre,
ya todos sabemos quién es el culpable.

A ricos, a pobres, a chicos y grandes,
a todos nos vino a poner en la madre,

de lunes a viernes transmites al aire,
te pasas hablando como una comadre.

Recibes propinas de Carlos Salinas,
transmites en vivo nos dices pamplinas,
que nadie se entere que todo es mentira,
por eso el programa se queda en familia.

Le tiras pedradas a algunos partidos,
enjuicias personas al aire y en vivo,
olvidas noticias sobre la guerrilla,
a todos los fraudes les cambias las cifras.

Que no te haga bobo Jacobo,
que no te haga bruto ese puto.

Que no te haga bobo Jacobo,
que no te haga bruto...

Por fortuna era domingo y no tenía que incorporarse de inmediato llevando a cuestas esa pesadez; sin embargo, se percibía en el ambiente (*en su ambiente*) una ansiedad que le impedía retomar el sueño. Además, físicamente se sentía muy golpeado y esto le hacía dar vueltas en la cama sin conseguir su objetivo. Fue tal su desesperación que decidió levantarse.

Tomó un par de analgésicos, y se aprestaba a salir de la casa cuando escuchó la voz de su padre:

—Qué, ¿te caíste de la cama, o dónde sigue la fiesta?

—No podía dormir.

—Me imagino.

—¿Por qué lo dices?

—Basta verte la carita que traes, ¿a qué hora llegaste?

—Como a las cuatro y media.

—Según recuerdo, la hora acordada son las dos, máximo dos y media.

Jaime pensó para sí: "Me siento del carajo y ahí viene otro rollo".

—No había quien me diera un aventón.

—¡Ése no es mi problema!

—Si me dieran coche, no tendría que depender de nadie.

—"Si me dieran"; ¿alguna vez podrías pensar qué puedes hacer tú por los demás, y no los demás por ti?

—¿Y por qué a mi hermana sí le dan coche?

—¡De veras no puedo creer que me hagas esa pregunta! Por si no te has dado cuenta, tu hermana, aparte de que ya cumplió veintiún años, es muy responsable, cooperativa y excelente estudiante.

—Yo también cumplo con mis obligaciones…

—No sé a qué le llamas cumplir. Reprobaste tres materias, te han suspendido dos veces, mismas que hemos tenido que entrevistarnos con el director, y en la casa no sólo ayudas lo menos que puedes, sino que traes a todo mundo "finto" con tus agresiones. ¿Por qué te ciegas y sólo ves lo que a ti te interesa?

Ya no pudo, o no quiso responder; prefirió esbozar un leve:

—Al rato vengo, voy al club a darme un baño.

—No te me pierdas. Te suplico que después me ayudes, ya sabes que vienen tus abuelos a comer y hay que preparar varias cosas.

Salió dejando "un cierto olor a azufre" y pensando para sí: "Siempre sale con las mismas jaladas".

Nuevamente, en el fondo no podía dejar de reconocer que gran parte de lo que le dijera su padre era verdad, pero ¿por qué con ese tono, en esa forma y hasta con esa ironía?

Mientras tanto, en el interior de la casa se precipitó un inevitable diálogo conyugal.

En este caso fue diálogo, porque la mayoría de las veces eran agrias discusiones que terminaban en ironías o agresiones verbales:

—Acabo de hablar con tu hijo —dijo él.

—En los cursos de Integración Matrimonial nos han explicado que no se dice "tu hijo" o "mi hijo", es nuestro hijo, o Jaime si prefieres —corrigió ella.

—¡Perdón, no soy tan aplicado!

—Escuché el murmullo, ¿qué pasó?

—Creo que lo de siempre: yo al ataque y él a la defensiva.

—Es que no lo dejas ni hablar.

—¡Jaime no quiere hablar! Si no es uno el que plantea las cosas, para él todo está bien. Mientras disfrute de fiesta, casa, comida, ¡ah! y coche, no hay mayor problema; y como además se siente respaldado por ti, conmigo no necesita hablar.

—Tiene que haber una forma de lograr que se comunique.

—¡Conmigo!, porque lo que es contigo y sus amigos, se ve que es otra cosa.

—Así son los adolescentes, ya se te olvidó lo que a ti te costó superarlo, me refiero a la incapacidad de comunicarte.

—Pues ya no sé cómo hacerle. Tú eres testigo de que le busco por distintos lados y es poco lo que responde, ¿o de plano estoy alucinando?

—Hay que tener paciencia, acuérdate del curso: ¡no desesperarse!

—¡Vaya, lo dices con una facilidad asombrosa! Pero a mí me indigna tanto egoísmo y me preocupa el ambiente en el que está metido, créeme que la situación es muy peligrosa. Y si quieres que te diga algo, no hay forma de prohibirle o cerrarle tajantemente ese mundo, porque va a resultar peor.

—Yo sé que en ese grupito hay gente muy desubicada, aunque también hay algunos rescatables.

—Ojalá con ésos sea con quienes haga amistad verdadera.

—Eso no lo vamos a decidir ni tú ni yo. Finalmente, en esta vida, sobre todo a partir de cierto momento, "cada quien empaca su propio paracaídas" y no se vale después culpar a los demás.

—Pues sí, pero mientras tanto, alguien debe fijarle los parámetros básicos del respeto y del sentido de responsabilidad —añadió él—. Total, finalmente siempre puede pasar lo que decía Oscar Wilde: "Los hijos empiezan por amar a sus padres; pasado algún tiempo, los juzgan; rara vez los perdonan".

—¡Cómo me gustaría que aceptara tomar la terapia que nos recomendó su coordinador académico! Tú sabes que hoy en día ya no se limita a casos raros. A todos nos puede hacer mucho bien encontrarnos con nosotros mismos.

—¡De una vez te digo que cuanto más insistas en el tema, menos posibilidades habrá de que acepte! —apuntó él con un tono que sonó amenazante.

Los Quiñones Ibarra eran una familia cuya problemática distaba mucho de estar resuelta. Educados ambos con los principios tradicionales de mediados del siglo veinte, que fueron los de sus padres, Gerardo y Diana formaban un matrimonio con deseos de superación; pero, la verdad sea dicha, su relación era complicada, pues esencialmente constituían una pareja de difícil conexión; discutían con frecuencia y ninguno quería ser el primero en ceder.

Diana provenía de una familia en la que, sin gritos ni aspavientos, se hacía la voluntad del padre, quien por otro lado pasaba gran parte del tiempo viajando debido a su trabajo. Por lo tanto, era una especie de patriarcado en cuanto a principios, pero matriarcado en cuanto a estilo y *modus operandi*, lo cual le daba a los hijos un tono alegre, sencillo y hasta inocente.

Diana era una mujer decidida y convencida de su condición de madre; por lo mismo, estaba dispuesta a "sacar a sus hijos adelante" a toda costa, aun contra su propio esposo; sin embargo, le producía una cierta ansiedad tener que aceptar que los padres sólo podían aportar una parte, el resto era cuestión de cada quien.

Gerardo era definitivamente más complicado. Nació en el seno de una familia donde la madre, debido a sus problemas de salud, poco se pudo ocupar de los hijos, razón por la cual éstos crecieron dentro de un esquema en esencia "salvaje".

El padre hacía su mejor esfuerzo por reponer (como él mismo decía) con calidad de tiempo la cantidad que no les podía ofrecer, por estar inmerso en su propio reto profesional. Esto, a la postre, si bien les compensó significativamente en el aspecto económico, también representó frecuentes conflictos y sobresaltos.

Recordaba bien aquella ocasión en que, en presencia de sus tres hijos adolescentes, quienes le confesaron su contacto con la mariguana, el padre de Gerardo, ese hombre todo fuerza y todo éxito, lloró y admitió su incapacidad de manejar la situación.

Sin embargo, tal parece que el cariño y el esfuerzo constante fructifican, ya que a partir de ese momento, a base de estar atento y siempre dispuesto a hacerse sentir con autoridad, pero también con afecto, había logrado que sus hijos superaran el problema.

Gerardo sabía que tenía conflictos personales pendientes; estaba dispuesto a enfrentarlos pero, ¿cómo lidiar al mismo tiempo con su problemática y la de su hijo? ¿Acaso no fue él mismo en su adolescencia un "rebelde sin causa"? ¿Acaso no seguía reconociendo en silencio que el mundo de los mayores, de los que representan la autoridad, estaba lleno de fracturas e incongruencias?

No pudo evitar que llegara a su memoria una canción de John Lennon con la que, en su momento, se envalentonaba y cuestionaba lo establecido:

I´m sick and tired of hearing things
From uptight short-sighted narrow-minded
hypocritics
All I want is the truth
Just gimme some truth.

I´ve had enough of reading things
By neurotic psychotic pig-headed politicians
All I want is the truth
Just gimme some truth.

No short-haired yellow-bellied son of Tricky Dicky
Is gonna mother hubbard soft soap me
With just a pocketful of hope
Money for dope
Money for hope.
I´m sick to death of seeing things
From tight-lipped condescending mommies little
chauvinists
All I want is the truth
Just gimme some truth.

I´ve had enough of watching scenes
Of schizophrenic egocentric paranoic primadonnas
All I want is the truth
Just gimme some truth
All I want is the truth
Just gimme some truth.

Cuando Jaime llegó al club todavía tenía el ánimo descompuesto. Lo acompañaba esa sensación, últimamente cada vez más frecuente, de que ciertas personas, entre ellas sus padres, le decían cosas que, aunque lo irritaban, presentía que eran ciertas. ¿Y qué pensar de lo que le dijo el tipo (*¿cómo se llamaba?*) la noche anterior.

Escuchó una voz que lo trajo al presente:

—¡Jaime! —era su anterior profesor de tenis, un joven apenas unos años mayor que él.

—Quíubo.

—¿Qué onda contigo, por qué no has venido?

—He estado muy ocupado.

—¡Me cae que ni tú te la crees!

—Neta, la escuela está cañona.

—Pus con más razón, necesitas divertirte y ponerte en condición.

—A ver si ora que termine el semestre.

—No seas güevón y échale ganas; tú le pegas bien, sólo te falta más dedicación.

—Te digo que ora que esté de vacaciones.

—Ojalá me la hagas efectiva, para incluirte en el equipo del club, ¿no ves que ya viene el Interclubes?

—No te aseguro nada, pero vamos a ver.

—Por si te interesa saberlo, Lucía está en el equipo.

—¿Te cae?

—¡Me cae y me aplasta!

—Bueno, por si tengo tiempo, ¿qué días están entrenando?

—¡Nada de por si tengo tiempo! Simplemente decídete y lánzate; además, te va a ayudar a salir de ese desmadrito en el que andas metido.

—¿Cuál desmadrito?

—No te hagas pendejo, por ahí se dicen dos tres cosas del grupito con el que andas, y bueno, ¿ya te viste la carita que traes? Mira, se puede echar desmadre y todo eso, pero si te clavas te aseguro que no la vas a pasar bien.

—Mejor hablamos otro día.

—Como quieras. ¡Ah!, entrenamos los martes de cinco a seis.

Una vez más lo invadió esa sensación de agobio, ¿por qué la gente se tenía que meter en su vida sin que él los invitara? De repente sintió como si todos estuvieran en su contra, o como si fuera un pez raro en una pecera que todo mundo observa. Pensó en Lucía, esa chica que tanto le gustaba y que tan inaccesible se había vuelto para él.

Desde que la conoció en los quince años de su prima Patricia, quedó fascinado no sólo por su belleza sino porque, estaba seguro, era diferente a las otras chicas que giraban en torno al grupo.

Fue justo esa enigmática diferencia respecto a las demás lo que provocó que, en cuanto no estuvo de acuerdo con el rumbo que tomaban las actividades del grupo, y no aprobó la forma en que se le trataba, decidió alejarse, no sin cierta nostalgia, pues Jaime le gustaba y le parecía simpático.

Ahora ella se presentaba en sus recuerdos como un ser lejano y a la vez inquietante:

—¿Por qué quieres que "tronemos"; qué, ya no te lato?

—Sí me lates, pero ya no me siento bien con lo que está pasando en este grupo.

—Explícame qué está pasando.

—Básicamente dos cosas: ya están muy gruesos en la forma de beber y tú sabes que se están metiendo en otras ondas; además, no me gusta cómo tratan a las mujeres, o por lo menos cómo me tratan a mí. Allá las otras si no les importa que les falten al respeto.

—¡Ya, no seas fresa!

—Fresa o no, yo no le entro a ese juego.

—La neta, tú sabes que me gustas, sería gacho que te separaras.

—Entonces aléjate también de esos cuates que no te van a aportar nada bueno.

Lo que le pedía era demasiado, no sólo porque para el momento que estaba viviendo le resultaba muy atractivo el grupo, sino que alejarse de ellos ¿por una "chic"?, ¡ni soñarlo!, se convertiría en un re-contra-mandilón.

Eso había sucedido ocho meses atrás, y él la seguía recordando como una muchacha bella e interesante. Algo lo trajo a la realidad:

—¡Quionda güey! —era Lalo, otro de los cuates con quien a menudo coincidía en el club.

—Quiondas contigo.

—Aquí, igual que tú, en terapia intensiva.

—¿Por el "reven" de ayer? ¡No exageres!

—¡Cómo no exageres, no manches tú, estábamos hasta la madre!

—Yo estaba… ¡perfecto!

—Perfecto mamón, es lo que eres.

—Por cierto, cuando estaba tirándome uno de mis mejores "trances", se me acercó un güey y quién sabe qué tanto choro me echó, ¡que si bájale, que si te estás poniendo en la madre, que si yo no sé qué!

—La neta, así te habrá visto.

—Bueno, ¿y quién es ese güey?

—No sé mucho, creo que es un cuate de Beto que no vive aquí.

—¡No mames!, eso es lo mismo que yo sé, para eso ni te pregunto.

—Pus no me preguntes pero, aparte de quién se trate, yo creo que sí te estás pasando de cabrón.

—¿De qué chingaos hablas?

—Mira, si todo este "rollo" ya está alterando tu capacidad de memoria, mejor busca ayuda —lo picó Lalo.

—¡Ya no manches!, por un perrito me dices "mataperros".

—Mira, brother, yo creo que está bien eso de reventarse un rato, de tomarse unos traguitos, pero hasta un disfrute sabroso, no hasta que empiezas a hacer pendejadas y te enteras de ello cuando te has metido en un "megapedo".

—¡Otra Dama Vicentina!, ahí nos vemos.

—¡Pérate!, ¿ya con irte se resuelve el pedo?

—No sé, pero cuando menos no tengo que estar oyendo sermones de cura frustrado.

—Yo estoy a tus órdenes, en lo que te pueda servir. ¡Ah!, por cierto, vi a Lucía el otro día, dice que le está metiendo duro al tenis para estar en el equipo en el Interclubes. Ahí te ves.

"Pinche Lalo", pensó, "es buena onda y aguanta vara, ¿por qué no puedo manejar las cosas con la misma confianza y seguridad?"

Su mente se remitió de nuevo a Lucía.

La familia Ortiz García era bien avenida. Los padres formaban una pareja de ésas que se puede decir "la estaban haciendo". A pesar de haberse casado muy jóvenes, habían desarrollado una relación basada en el respeto, la confianza y el apoyo mutuo.

Tenían tres hijos (Lucía, Carmen y Roberto); sin embargo, la madre no tenía ojos más que para su marido, quien se sentía realmente apoyado y motivado.

Por supuesto que habían enfrentado grandes conflictos, sobre todo cuando los niños requirieron más atención, y él, acostumbrado a "acaparar" a su esposa, se sintió desplazado y hasta celoso.

Por fortuna, como afirmaba él, "fue sólo una temporada en que me desubiqué y mi orgullo me empujaba a hacer y decir tonterías que ya no quiero ni recordar".

Ambos lograron transmitir a sus hijos, en particular a las hijas mayores, porque Robertito contaba sólo con once años, los principios y sobre todo los ejemplos necesarios para fomentar en ellos autoestima, respeto, sentido de responsabilidad y conciencia social.

Lucía era una chica que a sus diecisiete años ya sabía perfectamente lo que quería y lo que no quería. Quería a

Jaime, pero no quería el mundo en el que se estaba metiendo. Terminó de convencerse aquel día en que presenció cómo un muchacho del grupo (¿sería Beto?) ofendió e intimidó a otra de las chicas de mala manera, en una escena en la que hubo jaloneos y palabras altisonantes:

—¡Órale, Laura!, coopérate para otro pomo —sentenció él.

—Ya no traigo lana —confesó ella.

—¡No te hagas!, tú siempre andas billetona.

—Pus sí, pero ahora no traigo.

Sin más, se aproximó a ella y le jaló la cartera al tiempo que le gritaba:

—¡Presta, a ver si es cierto!

Para su fortuna, Antonio, otro de los "cuates", siguió la escena e intervino oportunamente:

—¡No manches güey, no le quites la bolsa!

—¡Tú no te metas, pendejo! Laura es mi novia.

—Ya sé, pero no te pases —añadió Antonio.

—¡Pinches viejas! También se tienen que mochar, ¿qué no ves que el chupe está bien caro?

—¡Ya, ni que tú necesitaras lana!

En ese momento intervino Lucía, al tiempo que recogía la bolsa, que en el jaloneo cayera al suelo, y la entregaba a su dueña:

—Ya llévenselo, Toño, ya se puso otra vez hasta atrás.

—¡Tú tampoco te metas, "Lucía de Calcuta"! No es tu pedo —amenazó el sujeto.

En ese momento tomaron acción Antonio y Jaime, quienes se llevaron al rijoso, quedando las dos chicas solas:

—¡Por qué te dejas faltar al respeto, amiga? —cuestionó Lucía a Laura.

—Es que…

—Es que nada, no puede ser que un tipo, por más galán que esté, nomás se le pasan las copas y quién sabe qué otras cosas y ya abusa. Al rato te va a pegar.

—¡Cómo crees, Lu! Beto es linda gente.

—Sí, claro, lo acabo de comprobar.

—No, en serio, lo que pasa es que ahorita trae broncas.

—Pus sí, pero sus broncas son suyas y no tenemos por qué padecerlas todos; además, para que alguien te pueda ayudar, primero tienes que ayudarte tú, y este cuate no sale de lo mismo: chupe, necedades y violencia.

A diferencia de Lucía, Laura era una muchacha muy insegura, e incluso codependiente de las actitudes patológicas de los que la rodeaban. Era la clásica persona que, con tal de no verse involucrada en un conflicto o en un rechazo, era capaz de renunciar a sus derechos y de autoconvencerse de que todo saldría bien.

La relación que había establecido con Beto se basaba en parámetros en los que ella, con tal de obtener la aprobación, la atención y el afecto de él (y del grupo), estaba dispuesta a humillarse y a convencerse de que "todo se iba a arreglar".

Provenía de una familia complicada en la que, aun sin haber violencia de por medio, prevalecía cierto desinterés de los padres hacia Laura y entre ellos mismos. Su padre descendía de un político "de la vieja guardia", o sea de la época en que para los miembros predilectos del partido la impunidad era el sello distintivo; era un típico personaje de la era en que "sólo sus chicharrones tronaban". Evidentemente esto provocó que la relación entre el abuelo y el papá de Laura se basara en la amenaza, la represión y aun la violencia.

Por su parte, Laura mantenía con su padre una relación muy difícil: él siempre se mostraba distante, huidizo e irresponsable, llegando a "desaparecer" por temporadas cuando, decía, necesitaba "encontrarse consigo mismo".

La mamá de Laura aportaba la única cuota de cariño y respeto en esa casa y, hasta eso, de una manera limitada pues se trataba de un ser profundamente indefenso y soñador que en realidad nunca consiguió descifrar el jeroglífico que era su marido.

En el aspecto económico no les iba mal ya que, gracias a las conexiones del abuelo, él se había hecho de unas concesiones para operar varias gasolinerías, lo cual le aseguraba un ingreso que compartía generosamente con su familia, algunos dicen que con el afán de compensar de alguna manera sus ausencias.

Cuando Jaime llegó a la escuela el lunes ya se sentía un poco más repuesto; afortunadamente el domingo le había servido de colchón. Estaba tan cansado que se quedó dormido a las nueve de la noche y no despertó hasta las seis de la mañana del día siguiente para, no sin cierta resistencia, salir para la escuela.

Cursaba el segundo año de preparatoria y vivía la gran incógnita de no saber qué quería estudiar, y es que en unos meses tendría que elegir área para el próximo año.

Bueno, de hecho su problema inmediato era otro: no sabía si iba a pasar de año. Llevaba tres materias reprobadas y le urgía presentar exámenes anuales muy complicados de esas materias.

—Quionda güey, préstame la tarea de Física —era Luis, compañero del salón.

—¿Cuál tarea?, no mames.

—¿Cómo cuál? —se sorprendió Luis—. La extraordinaria que nos dejó el maestro el viernes por estar echando desmadre.

—¡Puta, es cierto! Lo olvidé por completo, se me fueron las cabras —respondió Jaime con angustia— por estar clavado en la fiesta del sábado.

—A mí ni me invitaron, bola de ojetes —reclamó Luis.

—¿Y ora, cómo le vamos a hacer? —añadió Jaime, ya sin escuchar a Luis.

—Pus habrá que ver de qué humor viene el güey.

No llevar esa tarea les costó una suspensión de tres días, mismos que Jaime ocultó a sus padres.

Todo habría estado muy bien si a su coordinador académico no se le hubiera ocurrido llamar a la casa para verificar que "todos tuvieran la misma información".

Esta situación motivó al instante una cita de los padres con el susodicho coordinador:

—Lamento mucho tener que molestarlos.

—Por favor, profesor, de ninguna manera, al contrario —se apresuró a responder Gerardo.

—Las cosas no están funcionando con Jaime y me preocupa no sólo el nivel académico, sino también la disciplina. A veces lo siento tan rebelde que creo que algo le debe estar pasando.

—¡Es la adolescencia, profesor, ya sabe cómo se ponen! —anticipó la madre.

—Pues sí, pero en esta escuela no se puede tolerar ni un bajo nivel académico, ni faltas constantes de disciplina —añadió el coordinador, que empezaba a sentirse un poco incómodo ante la simpleza del comentario de la madre.

—Tiene usted razón, profesor —intervino Gerardo—; sin embargo, si me permite un comentario, creo que en aras de ese nivel académico se debería buscar una alternativa de castigo distinta a la suspensión, ya que con ésta lo que se logra es alejar más a los muchachos del contacto con las clases, y, como consecuencia, o están en casa como fieras enjauladas, o de plano andan de vagos.

—Los castigos no los dicto yo, sólo los aplico. Y lo que quiero transmitirles es que si Jaime no toma medidas inmediatas para enmendar el rumbo, una de dos: o es expulsado definitivamente por causas disciplinarias, o reprueba el año, en cuyo caso también tendrá que buscar otra escuela. Por si les interesa saber, la razón por la que no cumplió la tarea extraordinaria es este papel que voló justo del lugar de Jaime hacia otro compañero —les dijo el profesor al tiempo que les entregaba el proyectil con el mensaje:

"Oye güey qué buena está la hembra que traías el otro día, ya te estás "orgianizando" algo con una amiguita (o dos), ¡no seas puñal!"

—Le aseguro, profesor —intervino la madre— que Jaimito es buen muchacho, sólo que es un poco inquieto. Y en cuanto a lo académico, usted verá que, tan pronto se concentre en los estudios, saca el año adelante, porque también es muy inteligente.

—Pues le llegó el momento de demostrarlo —afirmó el coordinador, quien definitivamente quería dar por terminada la absurda entrevista.

A estas alturas, el padre de Jaime sólo atinó a decir:

—Profesor, dé por hecho que nosotros haremos lo que nos corresponde, y esperamos que reaccione.

—Muy bien, muchas gracias, les suplico que nos veamos nuevamente en un mes para evaluar la situación.

Gerardo no pudo esperar a llegar al auto y explotó:

—¿Te das cuenta de las actitudes que trae ese cabroncete?, ¿y te das cuenta de que aun ante las evidencias que nos mostró el profesor te empeñaste en justificarlo?

—Bueno, es que yo sigo creyendo que no es tan malo, sólo que es un muchacho confundido.

—Y va a terminar por confundirnos a todos, empezando por ti.

—Pues yo sí sé lo que quiero para mis hijos.

—Mejor empieza por saber lo que ellos mismos quieren para sí.

—No lo saben todavía, hay que orientarlos.

—Tú lo has dicho, orientarlos, no justificarlos, y mucho menos solaparlos.

—Lamento informarte que ya estamos en otra época y que los métodos que te aplicaron a ti no necesariamente son válidos en estos días.

—Lamento informarte que el respeto y la responsabilidad son y serán válidos siempre.

—¿Y quién está negando eso?

—Indirectamente, tú.

—Verdaderamente contigo no se puede hablar.

—Yo podría decir lo mismo.

De nuevo se precipitaban en ese abismo en el que a menudo y de manera absurda caían, no porque sus posturas fueran contradictorias, porque respecto a Jaime coincidían en lo esencial, sino porque otra vez se presentaba el fantasma del choque de estilos y personalidades.

En cuanto Gerardo llegó a su oficina pidió una llamada:

—¿Bueno? —era Armando, su amigo y confidente desde la juventud, personaje muy particular que combinaba en su actitud desde lo más sencillo (su postura ante la vida), hasta lo más complejo (su grado de conocimiento —y compromiso— con el ser humano).

Siguió la vocación sacerdotal hasta tres meses antes de ordenarse Misionero del Espíritu Santo; abandonó el empeño, convencido de que aun sin el hábito podía ser útil para la causa humana, que es a final de cuentas la causa divina, como él decía.

—Quíubo brother, soy Gerardo, ¿cómo estás? —preguntó.

—Chambeando, mano, qué le vamos a hacer.

—¿Tienes compromiso para comer? —volvió a preguntar Gerardo.

—Se supone que voy a comer con mi socio, pero no me ha confirmado.

—Please, trata de cambiarlo para otro día, necesito hablar contigo.

—¿Qué te pasa?

—Traigo broncas, bueno, tú ya sabes, la familia. Me caería muy bien tomarme un trago y platicar un rato.

—Déjame ver qué puedo hacer —añadió Armando con cierta reserva. Por experiencia sabía que cada vez que Gerardo tenía problemas y se reunían a platicar, aquello terminaba en intensas borracheras en las que, si bien es cierto que no había escándalos, sí les tomaba toda la tarde y había además que pagar las consecuencias físicas.

—¡No inventes!, ya está confirmado; te veo a las tres en el Galleguito que nos gusta, últimamente andan preparando una merluza a la vasca ¡que da miedo! Bueno, chao, ahí te encuentro —sentenció Gerardo contundente.

Después de colgar, sacó del cajón una tableta con fuerte dosis de ranitidina al tiempo que tomó el teléfono y solicitó a su secretaria:

—Maru, por favor obséquieme un poco de agua. ¡Ah!, infórmele a mi esposa que no voy a ir a comer.

No tenía ánimo para concentrarse en el trabajo, de manera que cerró los ojos y se apartó del presente. Su mente se remontó otra vez a sus conflictivos años de adolescente. No podía negar que había cuestionado y hasta desafiado todo lo que "olía" a *statu quo*, pero le quedaba claro que jamás lo hizo con la indolencia y la arrogancia con que, cuando menos él sentía, lo hacían los jóvenes de ahora. ¿Por qué no podían asumir una actitud más humilde, o siquiera menos agresiva?

Recordó que en sus tiempos, haber usado ese tono y estilo le hubiera costado no sólo un castigo ejemplar, sino una buena cuota de golpes. Vino a su mente la expresión que usaban los adultos de su juventud: "La letra con sangre entra".

Pensó en lo maravillosa y a la vez tormentosa que resulta la adolescencia. Por una parte, se posee el ánimo y la energía para emprender cualquier cosa, y por otra, la inseguridad y la inexperiencia hacen que uno convierta hasta lo sublime en algo grotesco.

También pensó que, de alguna manera, a muchos adultos se les podría perfectamente catalogar como adolescentes tardíos ya que, aún a los treinta, cuarenta o cincuenta, seguían incurriendo en las conductas que ellos mismos censuraban en los jóvenes; dígase egoísmo, irresponsabilidad, arrebatos, caprichos, etcétera.

Abrió los ojos y vio el diario sobre el escritorio.

No pudo pasar por alto la nota internacional en la que, recordando un aniversario más del golpe de estado en Chile, se publicaban algunos fragmentos de diversos mensajes que el presidente Salvador Allende dirigió a los jóvenes al tomar posesión del primer gobierno socialista del Continente, electo democráticamente.

La nota señalaba:

ANÁLISIS

El sueño juvenil de Allende

Uno de los hombres cercanos al presidente Salvador Allende da su punto de vista de lo que fue el papel de los jóvenes durante el gobierno socialista

Por Javier Vargas*

Los principales protagonistas del movimiento político que encabezó Salvador Allende fueron los trabajadores y la juventud. Como la generación del 68 en Francia, México, Alemania, Italia y Argentina, la de chilenos de los años 60 y 70 se caracterizó por la rebeldía ante la injusticia, por el rechazo a valores vacíos y la moral que imperaba; por el desprecio a la creciente idolatría por las riquezas materiales y al dinero por el dinero. Aquellos jóvenes buscaron tanto en movimientos guerrilleros, como en barricadas, marchas o festivales, caminos hacia un mejor destino.

---

* Consejero juvenil del presidente Salvador Allende e integrante de la Secretaría Nacional de la Juventud.

Fue la generación que rompió con mitos y prejuicios sexuales y profesó el amor libre. La que con jovialidad expresó su adhesión a las causas que luchaban por un mundo más justo y alegre. Fue la generación que buscó alternativas para preservar el medio ambiente; que repudió los esquemas del reparto arbitrario del mundo, la guerra de Estados Unidos en Vietnam y la absurda carrera armamentista de las grandes potencias.

Fue, en suma, la generación que encontró en los postulados de Allende valores por los que bien valía la pena comprometer un destino.

En su discurso del 5 de noviembre de 1970, al asumir el mando en Chile, Allende dijo:

"No seré yo, como rebelde estudiante del pasado, quien critique la impaciencia de los jóvenes, pero tengo la obligación de llamarlos a la serena reflexión. Tienen ustedes la hermosa edad en que el vigor físico y mental hace posible prácticamente cualquier empresa. Tienen por eso el deber de dar impulso a nuestro avance.

"Conviertan el anhelo en más trabajo... la esperanza en más esfuerzo. Miles y miles de jóvenes reclamaron un lugar en la lucha social. Ya lo tienen. A los que aún están marginados de este proceso les digo: vengan, hay un lugar para cada uno en la construcción de la nueva sociedad. El escapismo, la decadencia, la futilidad, la droga, son el último recurso de muchachos que viven en países opulentos, pero sin ninguna fortaleza moral."

Durante su visita a México en diciembre de 1972, Allende pronunció en la Universidad de Guadalajara el discurso que mejor refleja sus ideas en torno al papel de la juventud: "Ser joven y no ser revolucionario es una contradicción hasta biológica... yo no he aceptado jamás a un compañero joven que justifique su fracaso porque tiene que hacer trabajos políticos. Tiene que darse el tiempo necesario para hacer trabajos políticos, pero primero están los trabajos obligatorios que debe cumplir como estudiante de la universidad. Ser agitador universitario y mal estudiante es fácil; ser dirigente revolucionario y buen estudiante, es más difícil".

En su último mensaje antes de morir en La Moneda, Allende también pensó en los jóvenes: "Me dirijo a la juventud, a aquellos que cantaron y entregaron su alegría y su espíritu de lucha". Ese día, las organizaciones juveniles estuvieron dispuestas a salir en defensa del gobierno popular y de su presidente frente a los golpistas. Sin embargo, los máximos dirigentes gubernamentales recomendaron no salir a las calles para evitar una masacre ante la carencia de armas y la abrumadora superioridad militar de los golpistas. El propio presidente pidió: "El pueblo debe defenderse, pero no sacrificarse. El pueblo no debe dejarse arrasar ni acribillar".

Cuando Gerardo se registró en el restaurante, su compañero de esa tarde aún no llegaba. Solicitó una mesa "lo más tranquila posible" y ya instalado pidió una cerveza, misma que estaba apurando cuando apareció Armando:

—Quíubo, ¿hace mucho tiempo que llegaste? —preguntó éste.

—No, hace una cerveza —respondió Gerardo con humor.

—Me tocó un poco de tránsito —expresó Armando a manera de disculpa.

—Estamos bien, son las tres y cuarto.

—¿Cómo va el *bisnes*? —inquirió Armando a manera de transición mientras se terminaba de acomodar.

—Muy difícil, los clientes están medio apanicados y han bajado sus presupuestos. La semana pasada me cancelaron un proyecto que ya estaba aprobado, pero la verdad, a pesar de todo, no me puedo quejar, hay quienes se las están viendo más negras —reconoció Gerardo con honestidad.

—¿A quién se las están viendo más negras?

—No seas mamón, que ese chiste ya es viejo.

—Bueno —suavizó Armando—, es para ver si te aflojas un poco.

—¿Me estás albureando otra vez? —bromeó Gerardo.

—Acuérdate de que en el albur yo con-pito y gano —jugueteó con las palabras Armando.

—Bueno ya, ¿qué vas a tomar? —preguntó Gerardo.

—¿Cómo nos caería un vinito?

—Bien, pero ¿no quieres algo antes?

—¿Tú qué vas a tomar? —respondió Armando con una pregunta.

—Un wiskito.

—¡Que sean dos!

Después de un par de tragos y una botana, ambos estaban relajados y a gusto, cuando Armando abrió el tema:

—Así es que sigues con broncas.

—Quisiera decirte que no, pero sí —respondió Gerardo con tono serio.

—¿Y por dónde anda la cosa?

—Por un lado, mi hijo Jaime está pasando por un momento muy difícil. Tú sabes, la adolescencia los incita a hacer muchas pendejadas, lo cual puede ser una explicación mas no una justificación, porque eso les pasa a todos, pero siento que este cuate trae una rebeldía muy especial.

—¿Qué cosas hace?

—Está metido con un grupito de amigos que se la pasan de fiesta en fiesta, y bueno, eso parecería normal, pero éstos beben como náufragos; además, estoy seguro, también andan en otras ondas más gruesas. Por otra parte, su actitud en la casa y con la familia es muy agresiva, egoísta y yo diría que hasta soberbia cuando le haces ver sus faltas. Y si quieres que te diga más, en la escuela está metido en un gran lío: reprobó tres materias y tiene ya dos advertencias disciplinarias; de manera que por un lado u otro está en el filo de la navaja.

—¡Vaya! —dijo Armando, emitiendo un resoplido. Y agregó—: ¿tú crees que está consumiendo drogas?

—Definitivamente sí.

—¿Y no has hablado con él?

—La verdad no encuentro cómo hacerlo; la única vez que mencioné el tema de manera genérica, aludiendo a la juventud en general, me la volteó preguntándome si no me doy cuenta de lo que los políticos y militares han estado haciendo con respecto al narcotráfico. Y ahí es donde, tú sabes, nuestra postura como autoridad queda cuestionada.

—La verdad hay algo de eso, pero —sentenció Armando— tampoco es excusa para que nadie evada su responsabilidad, si no, ¡qué fácil!: "Yo hago pendejadas porque los demás las hacen", explícame eso.

—Así es —añadió Gerardo, apesadumbrado—; sin embargo, tú y yo sabemos que esta generación, como autoridad, está bastante cuestionada. Mira, para no ir más lejos, con qué cara se les pide recato sexual a los jóvenes cuando vemos el papelito que está haciendo Clinton, el presidente del país supuestamente modelo de desarrollo.

—Bueno, desarrollo económico no significa desarrollo moral ni espiritual.

—Se necesita ser pendejo para dejarse engatusar de esa manera, además por una hembra que ni "cachonda" está.

—No sabemos el mar de fondo que hay debajo de toda esa mierda.

—¿Te refieres a los intereses políticos?

—¡Por supuesto, hombre! —recalcó Armando con indignación—, el poder es algo muy cabrón. Simplemente no lo puedes jugar a medias; es como ir montado en un tigre del que si te bajas… te come.

—Por cierto, ¿no leíste el suplemento *Enfoque* del periódico el domingo? —preguntó Gerardo con interés—; está buenísimo, trae una serie de opiniones de varias mujeres brillantes, sobre todo este escándalo. La que recuerdo es la de la Poniatowska, que a grandes rasgos dice que todo esto es muy relativo y se trata de una cuestión social que cada país maneja como quiere. Cuenta que, por ejemplo, en México, hace años, Miguel Alemán Valdez era amante de Leonora Amar y estaba casado con Beatriz. Y todo el mundo sabía que Alemán tenía su amante y no se decía nada. También dice que lo mismo sucedió con Rosa Luz Alegría y López Portillo.

—Por eso te digo que todo esto no es sólo un chisme en "mí sostenido" para instrumentos de aliento —comentó Armando en tono jocoso y con chispa creativa.

—Bueno —lo interrumpió Gerardo—, pues, a propósito de instrumentos de aliento, trae una descripción, seguramente tomada de las declaraciones de la "Lengüinsky", de cómo fue uno de sus encuentros. La verdad está digno de una novela erótica. Ahí lo tengo, luego te lo presto.

—Y entonces, ¿qué piensas hacer en relación con tu hijo? —volvió al tema Armando—, y te lo pregunto así porque ¡estás de acuerdo en que tú no puedes decidir qué hacer con la vida de tu hijo! Ése es un asunto, my friend, que cada quien debe controlar. Aunque, por supuesto, mejor que sea con el cariño, apoyo y consejo de los que te quieren.

—¡No sé, carajo!, tengo varias ideas pero un poco sueltas —confesó Gerardo con cierta incomodidad; era un tema que lo incomodaba visiblemente, aunque estaba decidido a enfrentarlo, al precio que fuera.

—Mira, yo no sé cuáles son tus ideas, pero creo que hay una fundamental de origen: tienes que centrarte primero en ti, que es por lo pronto lo único que puedes controlar. Déjame explicarme, tú no le puedes depositar tu paz y tu armonía a nadie, y la verdad es que últimamente te he visto "muy pandeado"; claro que bajo ese esquema tú mismo te saboteas, o te pones obstáculos que no debieran existir.

—Lo que pasa es que... —trató de interrumpir Gerardo, pero Armando lo atajó con vehemencia.

—¡Déjame terminar y entonces me dices lo que quieras! —continuó Armando—; si estás consciente del esfuerzo que has hecho, la atención que le has prestado y el ejemplo que le has brindado, pues la verdad no tienes por qué sentirte tan agobiado. Ahí sí que lo que procede es mano derecha para que entienda los límites naturales, y mano izquierda para que sienta tu apoyo y tu cariño. Pero te repito que eso es algo que sólo tú, contigo, puedes ventilar, y es un proceso de mucha reflexión, meditación u oración, como le quieras llamar.

—Bueno, tal vez no soy el modelo ideal de padre, pero de que le he echado ganas, sí lo he hecho. Me refiero un poco a lo que tú dices de mano derecha y mano izquierda; es sólo que a veces me desespero y ahí es donde se jode la situación. Y no me quiero justificar, pero cuando veo desplantes de egoísmo, inconsciencia o irrespeto, se me sube la sangre a la cabeza.

—Te quiero recordar que tú eras prácticamente igual —apuntó Armando.

—¿Tú crees que no me doy cuenta ahora?, pero al estar del otro lado del mostrador, pues como que hay que actuar en consecuencia. Me gustaría poder decirle, sin el riesgo de sonar trillado, "Como te ves, me vi".

—Yo sólo te repito una cosa —volvió a interrumpir Armando—, acuérdate: mano derecha y mano izquierda.

—Y mucha pinche paciencia —añadió Gerardo.

—Dime, ¿cómo van las cosas con Diana? —preguntó su amigo.

—La verdad, mal.

—¡Qué elocuencia!

—Reconozco que es una mujer buena y bien intencionada, pero no me siento a gusto con ella y creo que aprovecho cualquier pretexto para sacar mi enojo; por lo tanto, la relación se ha vuelto más bien difícil.

—¿Y por qué no te sientes a gusto? —preguntó Armando.

—¡No sé, carajo! Me siento desmotivado y cuando estoy en casa estoy como león enjaulado.

—¿Tienes alguna aventura por ahí? —disparó la pregunta Armando.

—Contigo no voy a fingir demencia —respondió Gerardo—, sí he salido algunas veces con una chava.

—Prefiero no saber detalles —puntualizó Armando—, sólo te puedo decir que no es mi papel juzgar si estás bien o mal. Creo que tienes mucho que platicar contigo, y si me lo permites, yo te diría que podrían ser útiles unas sesiones de psicoterapia.

—Lo he pensado, ¿conoces a alguien recomendable?

—Voy a averiguar y te aviso —concluyó Armando, dejándole con una sensación de abatimiento, pero a la vez con una dosis de desahogo.

Cuando salió de la escuela, Jaime no encontró nada más motivador que ir a casa de Beto.

Alberto Rendón, típico producto de la sociedad burguesa e inconsciente, era hijo de padres divorciados, eso sí, con mucho dinero (hay quienes dicen que proveniente de negocios turbios, producto de las relaciones de su padre con hijos de políticos de la "vieja guardia"). El hecho es que Beto, a los diecinueve años, vivía solo desde hacía un año. Por supuesto no le faltaba nada, poseía un departamento de lujo al sur de la ciudad, amueblado y equipado con lo último en audio y video. Su automóvil, un BMW blindado, era la envidia y admiración de todos los cuates. ¿Su ocupación?, simple y sencillamente, la de "junior".

Con muchas dificultades terminó la preparatoria —parece que dando generosas "aportaciones" para la construcción del gimnasio de la escuela— y a partir de entonces decidió "tomarse algún tiempo" para pensar qué quería estudiar.

Bajo ese esquema económico y de ¿libertad?, Alberto se convirtió en la máxima atracción del grupo, y, tanto para "ellas" como para "ellos", gozar de sus favores era un verdadero privilegio.

A su padre lo veía por regla general una vez al mes (para hacer cuentas), o antes si es que tenía alguna necesidad económica urgente.

A su madre de plano no la veía nunca porque, como él mismo decía: "Ya no estoy para choros".

Cuando llegó Jaime, su amigo estaba viendo una película, de manera que sólo le hizo la seña de que se sentara.

Al término de ésta, se escuchó el comentario de Beto:

—¡Qué bruto, qué buena película!

Dado que Jaime sólo había visto el final, preguntó:

—¿Cuál es?

—¡No manches, a poco no la has visto! —exclamó sorprendido Beto—, se llama Jamón Jamón. Es de un tal Bigas Luna —añadió al tiempo que le extendía la cajilla diciendo—: la Sandrelli esa y la Galiena están que se caen de buenas.

Al ver la portada, Jaime leyó:

JAMON
JAM
ON
Un enredo amoroso, divertido y peligroso

—A ver si luego la prestas.

—Llégale, nomás luego la traes, porque es rentada y la última vez me colgué tanto que me salió mejor pagarla como nueva.

—¡No llores!, eso para ti es como quitarle un pelo a un buey.

—¡Te veo cara de que quieres hablar conmigo!

—¡Ya no mames, no me estés albureando!, y sí quiero hablar contigo.

—¿Qué onda, pinche Jimmy?

—Oye, güey, me quedé intrigado; en el último "reven" que armaste conocí a un güey, más bien se me acercó un güey, todo terco, tirándome un "chorazo" moralista de que mira nomás cómo te estás poniendo, y ya sabes, todo ese rollo, que si yo sé lo que es eso, que si yo casi me muero, que si quién sabe qué chingaos más. ¿Quién es, eh? —preguntó Jaime con cierta avidez.

—¡Puta, no sé!, había tanta pinche gente.

—Sí, ya sé, pero éste tenía algo especial, tal vez la mirada, como que al verte de frente te hacía sentir algo así como inquieto. Además me dijo que no vive aquí, que sólo estaba de visita por unos días —abundó en información Jaime.

—¡Ah, ya sé, te refieres a Lázaro! —exclamó Armando.

—¿Así se llama?

—No, güey, así lo conoce todo mundo, porque hace un tiempo ya se andaba "petateando" pero ¡como que revivió!

—Ah, ¿te cae?

—Sí, algo más o menos por ahí. Parece que le metía a todo y un buen día en un "ultra pasón" ya se andaba quedando; creo que se lo llevaron de urgencia al hospital, y allí hasta por muerto lo dieron durante unos minutos. Después como que se levantó y "andó".

—¿Y cómo se llama?

—Lázaro.

—Su nombre real, ¡carajo!

—Ah, pussssss, Alfonso, Alfonso Godínez.

—¿Tienes sus datos? ¿Dónde lo localizo? —preguntó Jaime con notable interés.

—Por ahí los tengo, luego te los paso pero, ¿por qué tanta urgencia?

—Nada, simplemente me gustaría conectarlo —respondió Jaime con vaguedad al momento que sonó el teléfono.

—¿Bueno? —contestó Beto.

—¡Buenísimo, güey!, sobre todo ahora que estoy yendo al gimnasio —era Lalo, Eduardo Mejía, de los cuates el que se distinguía por tener siempre el comentario ingenioso.

Lalo era un tipo raro pues, a pesar de formar parte del grupo y participar en sus actividades (y algunos de sus excesos), sabía muy bien lo que quería, y ciertamente no era ser un borrachín o un mal viviente como los muchos que veía a su alrededor, aun entre la gente "acomodada".

—¡Quionda Lalocura! —se entusiasmó Beto, pues hablar con Lalo tenía un efecto refrescante.

—Aquí mi Beto, despidiéndome del personal.

—¿Qué, a poco te apañaron y te van a guardar?

—No sé si ésos son tus deseos, pero "ni máiz", no va por ahí —sentenció Lalo—, me invitaron a participar en un encuentro juvenil en Suiza y me voy la próxima semana.

—¿Y qué quieres, mi bendición, o qué chingaos? —preguntó Beto con evidente ironía.

—En cierta forma sí quiero tu bendición, necesito que me prestes quinientos dólares.

—¿Pus no que te habían invitado, güey?

—Me pagan el pasaje, alojamiento y algunas comidas, pero hay varios gastos más —abundó Lalo en información—, mismos que tengo que resolver yo y mi jefe ahorita no anda muy bien de billete, con eso de que ¡el gobierno sabe cómo hacerle!… a eso de partirle la madre al pueblo.

—Ya, cabrón, no hables mal del gobierno por mi teléfono, chance y nos están grabando, y luego el que se mete en pedos soy yo —bromeó Beto.

—¡Me vale madre!, ¿no has visto a la cantidad de gente que traen jodida con sus líos bancarios? Esto huele a mierda por todos lados, pero bueno, ¿me puedes prestar esa lana?

—Siquiera dime de qué se trata.

—Ya te dije, son unas jornadas juveniles en Ginebra, organizadas por las Naciones Unidas, en las que se pretende que jóvenes de todo el mundo se manifiesten en cuanto a un "bonche" de temas como economía, política, religión, sexualidad, en fin…

—¿Y tú cómo te colaste en eso? —lo interrumpió Beto.

—Por la escuela; me llamó el coordinador académico y me pasó el tip de que había llegado esa invitación.

—¿Así de fácil?

—Bueno, él me recomendó con el director y después de un par de entrevistas me lo ofrecieron.

—¿Y qué, te sientes muy chingón? —preguntó retador Beto.

—Pus más o menos, pero para ser verdaderamente chingón necesito que me prestes esa lana —ironizó a su vez Lalo.

—Déjame ver qué puedo hacer por ti, háblame mañana. Oye, aquí está el "Jimmy", me está haciendo señas, te quiere saludar, te lo paso —añadió Beto al tiempo que le extendía el auricular a Jaime.

—¡Quiondas, Lalo!, por lo que oigo ya te nos vas a rockanrolear por el mundo.

—Pus un ratito, vamos a ver qué se cocina por el Viejo Continente; tú, ¿qué onda, cómo van tus rollos?

—Bastantedelachingada.

—Pus es que tú tampoco te ayudas, güey.

—No me sermonees y vamos a cotorrear un día de éstos; me gustaría que me dijeras cómo le haces para echar desmadre y a la vez no tener pedos con los estudios ni con tus jefes.

—Todo se puede, tú nomás ordeña sin querer llevarte la vaca —sentenció Lalo con decisión—. Mira, vamos a vernos, si puedo antes de mi viaje, si no, a la vuelta, ¿okey?

—¡Órale, vas!

En ese momento Jaime comprendió que Lalo era el prototipo de lo que él quisiera ser en esa etapa de su vida: alegre, deportista, seguro siempre de sí mismo, buen estudiante y participante también de la hora "del desenfreno", aunque con más cordura que otros que de plano terminaban en condiciones lamentables.

Estaba inmerso en esos pensamientos cuando escuchó la voz de Beto:

—Te quedaste pegado, güey.

—Sí, ¿verdad?

—Vamos a tomarnos una chela para que te refresques —le exhortó su amigo.

—Bueno, pero nomás una porque tengo que hacer un trabajo para mañana.

Finalmente, "una chela" se convirtió en cuatro por cabeza, de manera que llegó a su casa con cierto sopor acompañado de tufo alcohólico y un ligero dolor de cabeza. Para redondear la puntería, su mamá estaba en el vestíbulo y se produjo el encuentro:

—¡Hola, Jaime!, ¿cómo estás? —preguntó ella, con ese sexto sentido que desarrollan los padres cuando se trata de los hijos.

—Bien, sólo estoy cansado.

—Sí, pero hueles a licor.

—Sólo fueron un par de chelas.

—No sé cuántas hayan sido, pero date cuenta de que es martes y son las seis de la tarde. ¿De dónde vienes?, ¿no me dijiste que necesitas entregar un trabajo mañana?

—Pus sí, ¿y qué tiene?

—¿Cómo que qué tiene?; en esas condiciones no sé cómo lo vas a hacer.

—¡Yo sé mi rollo, no me trates como a un niño! —le respondió Jaime con indignación.

—¡Pues no te comportes como niño! —le respondió la madre más indignada aún.

—¡Todos ustedes son una bola de retrógrados que no quieren ver la realidad; en cuanto pueda me voy a largar de aquí y hacer mi propia vida, con gente que sí me entienda!

—Mira, Jaime, al paso que vas quién sabe cuándo lo vas a lograr, porque estás desperdiciando tu vida lamentablemente.

—¡Eso ya lo veremos! —lanzó su comentario en tono amenazante, dirigiéndose sin mayores trámites a su habitación y se recostó (*se dijo*) por un momento. Pero se quedó dormido hasta que la luz del cuarto se prendió emitiendo un haz profundamente sorpresivo y agresivo, aunque más lo fue el comentario de su padre:

—¡Me lleva el carajo, esto sí es el colmo! —pronunció Gerardo con rabia contenida que empezaba a descontrolarse.

—¿Qué te pasa? —preguntó Jaime entre el sopor y la sorpresa.

—¿Cómo que qué me pasa?, ¿no te das cuenta de que te sigues comportando como un absoluto irresponsable? Mírate nada más cómo estás, son las ocho y media de la noche; se supone que mañana debes entregar un trabajo ¡que no has hecho! y estás aquí dormidote después de beber quién sabe qué carajos. ¡De veras, no puede ser!

—Ya me iba a levantar a hacerlo —quiso defenderse.

—Además, hay que ver la actitud que adoptas en cuanto se habla contigo; ya me contó tu mamá la forma en que le contestaste sólo por decirte la pura verdad.

—¡Ustedes también tienen una forma muy gacha de decirme las cosas! —se engalló Jaime.

—Ya parece que después de cómo te comportas, hubiera que tratarte como si fueras un dandy.

—Pus no, pero siempre me piden todo mal.

—¡Ahora sí, esto es el colmo! Tú tratas a todo mundo —que no sean tus amigos, por supuesto— con la punta del pie, pero al nene hay que pedirle que haga lo que es su responsabilidad casi con reverencias. Caramba, ¿en qué mundo vives?

Jaime no estaba dispuesto a aceptar lo que en el fondo sabía que en parte era cierto. Sin embargo, como aquello ya era un campo de batalla no podía ceder un ápice, so pena de que su orgullo adolescente se viera afectado, de manera que lo único que pudo mascullar fue un:

—Lo que pasa es que ustedes tienen algo en contra de mí y además prefieren a mi hermana.

—Francamente, ¡no se puede contigo! Si eres tan machito y tan chingón como te crees, ¿por qué no agarras tus cosas y te vas a hacer tu vida como consideres conveniente?

—Porque no tengo dinero —aceptó resignado Jaime.

—Ponte a trabajar.

—Yo quiero estudiar.

—¡Pues sí que lo disimulas!

—Tu ironía me cae muy mal.

—¿Estoy diciendo mentiras?

—Yo le echo ganas, pero como ustedes están todo el tiempo jode y jode me desmotivan.

—En primer lugar, ¡no te expreses así, que no estás con los rufianes de tus amigos! Después, vamos a esperar a que cumplas dieciocho años, no vaya siendo que en ese momento te ponga en la calle con tus cosas.

—Pus yo he oído que tú te expresas así —reviró Jaime, sabiendo que usaba su estrategia infalible: acribillarlos con sus propias armas.

Gerardo había sido tocado en el punto donde se le dificultaba continuar; después de todo, ya no era posible recurrir a los argumentos de sus padres y abuelos con base en el: "Porque soy tu padre y te callas". Por lo tanto, optó por concluir la sesión dejándole un simple:

—Algún día vas a tener hijos y te darás cuenta de muchas cosas —y salió de la habitación.

Por su parte, Jaime se quedó nuevamente con la sensación ambigua entre el "No me comprenden" y el "¿Por qué mantengo esta postura?".

La vida de Diana se había convertido en un verdadero rompecabezas que le resultaba muy difícil descifrar: la relación con su esposo cayó en un tobogán, aparentemente a causa de la problemática que enfrentaban con Jaime. Sin embargo, sabía, o cuando menos presentía, que eso no era todo; evidentemente, aparte de Jaime, esa relación no fluía.

¿Sería acaso que se desgastó?, ¿o que en realidad nunca había existido?, se preguntaba una y otra vez. Se cuestionaba también cómo era posible que a ella, que puso todo de su parte y "su vida misma" en esa relación, se le estuviera viniendo abajo el esquema que durante varios años fue llevadero, aunque sin dejar de reconocer que por ambas partes había asuntos no resueltos.

Observaba a sus amigas aparentemente estables tan sólo para comprobar que en casi todas, aun dentro de esa estabilidad, había un clamor generalizado contra los hombres: que si son egoístas, que si son unos machos, que si son como niños, que si no aceptan oposición; sin embargo, nada se movía: transcurría el tiempo y todo seguía igual.

Como mujer, esposa y madre, pensaba que debía rescatar la relación; como ser humano, se sentía dolida y dudosa. Recordaba con pena la ocasión en que Gerardo, en presencia de un grupo de amigos, le manifestó su condicionamiento de que, para que la relación prosperara, ella tendría que superarse intelectualmente y conservarse en buena forma física. A partir de entonces el reclamo se convirtió en una presión constante: hacer dieta, practicar ejercicio, "ocupar tu tiempo en cosas más productivas".

En medio de esas consideraciones llegó a su destino, donde la esperaba Gloria, compañera de años atrás, divorciada hacía un par de años.

Aunque disponía de poco tiempo, tenía mucho interés (*¿acaso curiosidad?*) en platicar con ella de cara a los acontecimientos.

—¡Hola, amiga!, ¿por qué tan agitada? —la recibió Gloria.

—Se me hizo tarde, es que tuve que…

—¡Oye, tranquila!, yo he estado aquí de lo más a gusto, tomándome una cubita —la interrumpió para tranquilizarla.

—¿Cómo estás?, qué bueno que te dejas ver, creo que desde el lamentable desenlace de tu matrimonio, ¿hace ya cuánto?

—Pues no sé cómo me veas, pero me siento de lo mejor —esquivó la pregunta Gloria.

—Sí, la verdad, se te nota —admitió Diana—. ¿Cómo le haces?

—Yo creo que son los efectos de la paz y la tranquilidad espiritual.

—De eso no te puedo hablar mucho en este momento —admitió Diana.

—Si quieres que te diga la verdad, también se nota. Pero cuéntame, ¿en qué andas metida?

—Simple y sencillamente, en un matrimonio que no funciona y que, además, enfrenta problemas con un hijo adolescente.

—Vamos por partes, ¿qué pasa con tu marido? —preguntó Gloria.

—No sé explicarlo, siento como que flota una tensión en el ambiente.

—¿A qué la atribuyes?

—Creo que son varios elementos. Por un lado, me queda claro que no se siente a gusto en casa.

—¿En casa o contigo? —la interrumpió Gloria.

—Buena pregunta —apuntó Diana—, creo que un poco de ambas cosas, pero siento que más lo segundo.

—Ahora sí, ¿a qué atribuyes su malestar hacia ti? —le disparó Gloria de frente.

—En realidad no lo sé, pueden ser varios motivos.

—¿Como cuáles?

—¡Ay, amiga, no sé!, tal vez pugna de personalidades, o quizá mero desgaste de la relación, incluso la posibilidad de que exista alguien más. ¡Qué te puedo decir!

—¿Y no lo han aclarado?

—Es que siempre que iniciamos un diálogo termina en bronca.

—Yo creo que la polémica es un ingrediente que está latente en todas las relaciones, particularmente las de pareja; pero de ahí a que no puedan iniciar —y concluir— un diálogo que al menos les permita enterarse de qué trae en la cabeza la otra parte, me parece no sólo inadmisible sino muy peligroso —sentenció Gloria.

—Pues sí —comentó Diana con cierta resignación.

—¿Así nomás, Diana, así de fácil?

—Te repito que no sé qué hacer. Estoy convencida de que, en lo que a mí respecta, he puesto toda mi entrega en esta relación; por eso, me voy a concentrar en sacar a mis hijos adelante.

—¡No es posible! —apuntó Gloria con indignación—. ¿Tú crees que vas a "sacar a tus hijos adelante", como dices, en medio de esa guerrilla continua?

—Eso es lo que yo puedo hacer.

—Perdóname, pero puedes hacer mucho más y, como consecuencia, tus hijos —¡si quieren!— saldrán adelante —aseguró Gloria con tono de impaciencia.

—¿Y qué es ese "mucho más" que dices que puedo hacer?

—En primer lugar, ponerte en orden contigo misma, pensar mucho y aclarar para ti lo que sucede, y por qué está sucediendo. Después, establecer un diálogo con

Gerardo, pero un verdadero diálogo, no una polémica a ver quién impone sus argumentos; y es que en esta vida, en condiciones más o menos normales, no hay un solo culpable y nada es a la fuerza. Si, como consecuencia de ese diálogo claro y honesto, llegan a la conclusión de que no se puede, ¡pues no se puede! Entonces habrá que encararlo y resolverlo civilizadamente.

—Mira —continuó Gloria—, no voy a negarte que, en general, los hombres son muy egoístas, ventajosos y tramposos; he llegado a pensar que quizá sea algo que está en su naturaleza. Pero no sirve de nada pasar la vida lamentándose sin hacer algo; tú fuiste testigo, en mi caso, de que no hacía otra cosa que despotricar contra ellos y quejarme de mi marido quien, salvo algunos destellos, en general era bastante mala onda. ¡Pero nosotras también tenemos la culpa!, bien sea porque nos pasamos de pendejas y no ponemos un alto a tiempo a lo que simplemente no debe ser, o porque nos pasamos de cabronas, nos obsesionamos con hacerlos perfectos y, en vez de acompañarlos y apoyarlos, nos dedicamos a joderles la existencia con preguntas, control, exigencias y dramas continuos, cuando "sentimos" que no nos atienden como quisiéramos, o que no le prestan el debido tiempo a la familia.

—Creo que tienes razón —respondió Diana con humildad.

—¡Claro que tengo razón! —exclamó Gloria, continuando con vehemencia—: y no te hablo de teorías, son realidades que viví y que además he comprobado en diversas ocasiones.

—No te entiendo —apuntó Diana, curiosa.

—Mira, amiga, a raíz de mi situación personal me dediqué a conversar con cuanta gente pudiera oírme y relatarme su propia experiencia. Así caí con un terapeuta que me invitó a unas sesiones de grupo donde, dicho sea con toda claridad, me asomé a la diversidad y a la realidad de la vida. ¡En verdad no tienes idea de lo que hay ahí afuera!

—Eso no es consuelo.

—¡Claro que no es consuelo! Por eso te sugiero que tomes plena conciencia de tu realidad y a partir de entonces asumas el control de tu vida, sin esperar que las cosas se resuelvan cuando cambie tu marido, o tu hijo, o el gobierno, o lo que sea. Aquí la única que debe cambiar y adaptarse eres tú, ¿me entiendes? No hay de otra: ¡adaptación o extinción!

—¿Y tú cómo estás? —preguntó Diana tratando de desviar la conversación para tomar un respiro. Lo que le decía su amiga era algo que ella siempre había sostenido y predicado, pero no era lo mismo sentirlo en carne propia.

—Ahora, ¡maravillosamente bien! Claro, sin dejar de reconocer que la primera etapa después del divorcio fue una época muy difícil, para mí y para mis hijos, pero nada comparable con lo que viví en los últimos años de mi matrimonio.

—Cuéntame.

—Yo me casé prácticamente por inercia; sí, creía estar enamorada y todo eso, pero en realidad no tenía mucha idea de lo que representa compartir tu vida con otra persona, sobre todo si de ella sólo conoces cierta parte. Sin embargo, la ilusión de la casita, la familita, la comidita, me envolvió al grado de que no quise ver más allá de esa linda pero efímera ilusión.

—Mucha gente se casa en esas condiciones y sí ha tenido éxito.

—Claro, pero a mí (y creo que a muchas otras) no me dio resultado. Además, ¿quieres decir que tener éxito es sobrevivir en una relación donde lo que prevalece es una convivencia rutinaria e intrascendente?, ¿o es un show para cubrir el expediente?

—La vida es rutina.

—Precisamente por eso es necesario transformarla en algo apasionante, y el nivel de integración, comunicación y emoción que logres con tu pareja son elementos fundamentales. Pero, ¿cómo lograr esa integración, comunicación y emoción si, aparte de que no sabes bien con quién te estás uniendo, cuando lo descubres ya hay un vacío, porque perciben la vida de distinto color y se inicia la batalla para ver quién le puede cambiar el color al otro? Entonces, cada uno "agarra su boleto" y sólo coinciden en aspectos operativos, familiares y domésticos, pero sus momentos estelares los encuentran afuera. Ellos: con los cuates, el dominó, el golf, las aventuras, etc. Los más enfermos: con el poder, el dinero, el placer, el juego, la droga incluso. Ellas: en casa de sus padres, en actividades sociales, o en la parroquia con sus obras de beneficencia. ¿A poco no conoces gran cantidad de beatas que pasan buena parte de su tiempo en estas actividades? Otras, de cascos más ligeros, no están dispuestas a aceptar que sólo ellos tienen derecho a divertirse, y se cobran parejo, se organizan con otras del "mismo club" y, me creas o no, llegan a armar sus propios planes. ¿No conoces a muchas "damitas bien casadas" que se las traen? Yo sí.

—¿Y cómo se puede resolver esta problemática?, ¿acaso sugieres que las parejas de novios vivan juntos antes de casarse?

—En una relación seria y entre gente honesta, ¡por supuesto que sí! Además, es de elemental justicia que antes de traer invitados a la fiesta, nos aseguremos de que por lo menos ésta sea lo más grata posible. ¿Qué culpa tiene una bola de "retoños" a los que les tocó llegar a un hogar fracturado, o lo que es todavía peor: a un hogar con tal disfunción que se convierte en una agresión permanente —agresión abierta o velada— o, de plano, un desinterés permanente o un arreglo visible? ¡Por eso sostengo lo que he dicho!

—Pues sí, pero tú hablas ahora con la seguridad y el dominio de haber superado un gran conflicto —expresó Diana—, pero piensa que hay muchísimas personas que no quieren ni pensar en pasar por ese papelón y, en aras de eso, están dispuestas a sobrellevar cualquier situación.

—Cada quien escoge la vida que quiere llevar. Nada más no se vale después echarle la papa caliente a alguien más.

—Lamentablemente tengo que irme. ¿Cuándo platicamos con más calma? —preguntó Diana.

—Encantada, el día que quieras. ¡Échale ganas!

Diana se quedó un momento pensando: "¡Cómo cambia la gente!". ¿Acaso no era Gloria la misma persona que hace algunos años era un mar de frustración y rabia contra todo lo que olía a hombres?

Cuando Armando regresó a su oficina, después de una comida de negocios, reparó en el diario que estaba sobre su escritorio junto con un papel amarillo autoadherible firmado con esta nota por Gerardo:

Armando: Aquí te mando el artículo que te prometí, te recuerdo que me envíes la información que me ibas a pasar sobre el terapeuta.

Gracias y saludos

Gerardo

Tomó el suplemento en cuestión y empezó a hojearlo hasta que llegó a un texto subrayado, en el que se leía:

¿Quién es Mónica?
Jorge Ramos Ávalos

La historia, aun expuesta en cuatrocientas cincuenta y cuatro cuartillas de un informe, resulta difícil de entender. Todo mundo mira trastabillar al hombre más poderoso del planeta a causa de esa historia y, sin embargo, poco se sabe de la joven *explotada sexualmente* o de la *femme fatale*, según se quiera ver, que desencadenó esa crisis.

¿Quién es Mónica Lewinsky? ¿Qué dicen de ese *affaire* algunas mujeres destacadas? ¿Cuáles son los escenarios a los que se aproxima Bill Clinton? A eso busca responder esta edición.

Continuó la lectura.

Mónica sabía que el miércoles 15 de noviembre de 1995 sería un día difícil. Lo que no sabía es que ese miércoles cambiaría la historia de la Presidencia de los Estados Unidos.

Mónica Lewinsky llegó a su trabajo como becaria en la Casa Blanca a la una y media de la tarde. Y en verdad la necesitaban; el gobierno se había quedado sin dinero —debido a que el congreso norteamericano, dominado por los republicanos, no quería apro-

69

bar el nuevo presupuesto presentado por Bill Clinton— y las labores de muchos de los empleados de la Casa Blanca estaban siendo realizadas, por segundo día consecutivo, por los más de doscientos jóvenes del programa presidencial de becarios.

Mónica no se había hecho ilusiones de salir temprano. Iba a tener un día muy largo. Pero el ambiente era sumamente interesante. Había sido asignada a la oficina del jefe de gabinete, Leon Panetta, y tenía acceso a la exclusiva ala oeste de la Casa Blanca. Eso significaba estar cerca de "él". Ella ya conocía al presidente Bill Clinton. Se habían visto durante varios eventos sociales en Washington y a Mónica le sorprendía que él se acordara de su nombre.

Esa noche, poco después de las ocho, ella fue al baño, cuando encontró la puerta abierta de la oficina del asesor presidencial George Stephanopoulos. Adentro estaba Clinton. Solo. Él la invitó a pasar y sin mucho preámbulo, Mónica le dijo al presidente que le gustaba mucho. Clinton se rió de buena gana y después de unos minutos de conversación la llevó a conocer su comedor privado —que conectaba con la oficina de Stephanopoulos— y luego se quedaron platicando en el pasillo que va del comedor al despacho de Clinton, junto a la Oficina Oval.

En ese pasillo comenzó el *affaire*. Mónica Lewinsky testificó ante un gran jurado que el presidente "le preguntó si la podía besar" y ella dijo que sí. En ese momento no pasó nada más. Pero antes de despedirse, Mónica escribió su nombre y teléfono en un papelito que entregó al presidente.

Esa misma noche, antes de las diez, el presidente apareció en la oficina de Leon Panetta —donde Mónica seguía trabajando— y la invitó a su despacho privado. Ahí, ella se desabrochó el saco y el brasiere. Clinton, luego, se lo levantó y le empezó a tocar los senos con sus manos y su boca. De pronto entró una llamada por teléfono. Era, posiblemente, el congresista Jim Champman. Clinton se sentó, y mientras hablaba por teléfono le tocó la vagina, por arriba de la ropa, y la empezó a estimular sexualmente.

Mónica se hincó para abrir el pantalón de Clinton. Ésa fue la primera vez que Mónica tuvo una relación de sexo oral con el presidente de los Estados Unidos de Norteamérica.

A las 12:00 de la mañana con 18 minutos del jueves 16 de noviembre de 1995 Mónica salió de la Casa Blanca y se fue a dormir a su apartamento. Ése fue el primero de nueve encuentros sexuales entre Lewinsky y el presidente.

Armando pensó: "Carajo, si el propio presidente de Estados Unidos anda en boca de todo mundo haciendo el ridículo, ¿con qué autoridad moral les pedimos a los jóvenes que hagan uso responsable de su sexualidad?".

Levantó el teléfono y pidió una llamada:

—Por favor, comuníqueme con el señor Gerardo Quiñones.

—Sí, señor —le respondió la voz secretarial a través del auricular, la misma que veinte segundos más tarde le informaba:

—El señor Quiñones en la línea.

—¿Gerardo?

—Sí, Armando, aquí a tus órdenes.

—Gracias por el artículo que me enviaste, independientemente de que sí está cachondona la descripción del primer encuentro sexual que tuvo Clinton con la rusa esa, ¡no se midió! y como consecuencia, claro que se metió en el pedo de su vida. En fin, no te hablo para eso, sino para darte los datos del doctor Quesada.

—¡Ah, sí, te lo agradezco!

—Apunta: doctor Francisco Quesada, Gardenias número 37, colonia Florida, teléfono 5653-1427.

—Perfecto, ¡gracias de nuevo! Estamos en contacto.

Gerardo colgó y, después de dudarlo un momento, de súbito recapacitó y marcó el número:

—¿Diga? —respondió una voz fría e indefinida (cuando menos así le pareció).

—Disculpe, ¿es el despacho del doctor Quesada? —preguntó con timidez Gerardo.

—A sus órdenes —respondió la voz fría.

—Quiero hacer una cita.

—¿La desea por la mañana o por la tarde?

—Cuando sea más pronto.

—Permítame un momento —se alejó aquella voz hasta desaparecer por espacio de unos segundos.

—¿Podría venir el miércoles a las siete de la noche?

—Por mi parte está bien —respondió Gerardo sin verificar si había algún inconveniente.

—Muy bien, lo esperamos, ¿cuál es su nombre? —concluyó "la voz", que ya empezaba a cuestionarlo aún sin haberse materializado todavía en una fisonomía humana.

—Gerardo Quiñones.

Apenas era lunes y experimentó la urgencia de que llegara el miércoles, aunque la verdad sentía también cierta aprensión pues no sabía a ciencia cierta qué era eso de "encararse" con un psicoterapeuta. No obstante, se repitió hasta el convencimiento que para entender un poco de lo que pasaba con su vida necesitaba buscar ayuda.

Cuando Jaime llegó al club sentía la boca seca y respiraba con dificultad. Aun así, se animó a seguir adelante hasta que llegó a su destino y ¡ahí la vio!, ágil y graciosa con su atuendo blanco y su cuerpo juvenil, corriendo incansable tras interminables series de pelotas que le disparaba el entrenador. Tuvo todo el tiempo y el espacio necesarios para observarla y disfrutarla en el anonimato de unas gradas lejanas, donde no pudo evitar escuchar a su conciencia: "Mira qué muñeca estás dejando ir por estar sumergido en tu mar de egoísmo, confusión, orgullo y resentimiento. ¿Qué te pasa? ¿Cuáles son los valores que mueven tu vida? ¿A poco de lo que se trata es de pasarla bien por encima de quien sea? ¿Consideras que lo importante es demostrarle a los demás que eres muy fregón porque bebes y te drogas hasta el tope? ¿Te crees muy chingón porque tratas a las mujeres con indiferencia y hasta con desprecio? ¿Te crees muy divertido porque tu responsabilidad de estudiar simplemente no la ejecutas? ¡Piénsalo, pendejo!, porque la vida a veces concede segundas oportunidades, pero otras veces no".

Estando inmerso en estas reflexiones, el momento se volvió súbitamente agrio hasta la náusea cuando observó que al término del entrenamiento apareció al costado de la cancha un tipo que aun a la distancia le pareció atlético, y que sin mucho preámbulo se aproximó y abrazó a Lucía, ¡a su Lucía!

La confusión duró unos segundos y fue seguida por un sentimiento de rabia e impotencia. Sin embargo, ¿qué podía hacer? Era evidente que el tipo era su novio. Era evidente también que al dejarla ir, alguien la iba a capturar. Tratándose de una chica no sólo bella sino talentosa y sensible, no se podía esperar otra cosa. ¡Algo tenía que intentar!, aunque no sabía bien qué.

De momento lo único que le quedaba claro es que no quería continuar atormentándose con esa escena, de manera que se incorporó y salió a toda prisa.

Al llegar a su casa lo primero que hizo fue tomar el teléfono:

—Beto, ¿eres tú?

—¡Quién chingaos más va a ser!

—No te encabrones, necesito los datos de Lázaro, ¿recuerdas que me ofreciste buscarlos?

—Pus sí, pero se me ha olvidado, ya ves que con tantos bisnes que manejo, me falta tiempo.

—¡No mames, los necesito!, aquí te aguanto en la línea mientras los sacas —de pronto sintió que era imprescindible hablar con ese sujeto y estaba decidido a hacerlo, de manera que se plantó en la línea a esperar que su amigo le diera la información.

—¡Cómo jodes!, no dejas ni ver a gusto una peliculita; a ver, aguántame tantito —vociferó Beto con evidente malestar al tiempo que depositó el auricular en la mesita. Dos minutos más tarde lo tomó de nuevo e informó:

—A ver, anótale, güey: Alfonso Godínez, Norte número 350, departamento número 6, Mérida, Yucatán, teléfono 48-79-60.

—¡Muchas gracias, brother!, luego te llamo.

Tan pronto colgó, inició la búsqueda en la guía telefónica de las claves correspondientes para marcar a Mérida, y al cabo de un par de minutos se escuchaba el timbre:

—¿Diga? —respondió una voz femenina de tono juvenil.

—Quisiera hablar con Alfonso Godínez.

—¿Quién lo busca?

—Jaime Quiñones, amigo de Beto, quiero decir de Alberto Rendón.

—Un momento, por favor —contestó la muchacha y, alejándose, lanzó un: "¡Ponchoooo, teléfonooo!".

Ya no escuchó más, de manera que se mantuvo expectante en la línea, hasta que el silencio se rompió con un:

—¿Bueno?

—¿Alfonso? —inquirió a su vez Jaime.

—Servidor.

—Tal vez no te acuerdes de mí: nos conocimos, bueno, nos vimos en una fiesta en casa de Beto, ya casi al final te acercaste a…

—Sí, a tirarte un "choro" sobre el fiestorrón que te traías —lo interrumpió Alfonso sin titubeos.

—Me gustaría tirar ondas contigo sobre lo que me estabas platicando, tú sabes, eso de tu experiencia, de lo que viviste cuando ya te andabas "pirando" —añadió Jaime intentando entrar en confianza.

—Con mucho gusto, nada más que pienso ir a México hasta dentro de un par de meses, a menos que tú tengas planes de venir por acá antes.

—No, pus no sé, chance, tendría que ver porque, aparte de que no tengo lana, si trueno alguna materia me tengo que clavar durante las vacaciones a estudiar para presentarla en extraordinario.

—¿Y cuántas peligran?

—Sólo tres.

—¿Sólo?, ¡no te mides! Cuando llenes alguna solicitud y te pregunten tu ocupación, en lugar de estudiante deberías poner "huevón".

—¡Yaaa, no te pases, que pretendo ponerme al corriente!

—Cómo tú me dijiste el día de la fiesta, ¡ése es tu pedo!

—Si se puede, me lanzo a Mérida; si no, ¿puedo verte en México cuando vengas?

—Sí, cómo no, con gusto.

—Okey, yo te vuelvo a llamar.

Colgó sintiendo la inminente necesidad de ir a Mérida lo más pronto posible y platicar con ese extraño sujeto que por alguna razón le transmitía la posibilidad de cambio en su vida. ¿Estaba conforme con su existencia?, ¿necesitaba hacer cambios en ella? Definitivamente, ¡tenía que averiguarlo!

Se reclinó en un sillón decidido a esperar la llegada de su padre.

Gerardo se sentía en aquella antesala como primigesta en su primera cita con el ginecólogo; seguía experimentando sentimientos ambivalentes entre nervios y emoción y se repetía constantemente: "Vale la pena intentarlo".

En esas consideraciones estaba cuando escuchó un sencillo:

—¿Señor Quiñones?, adelante, por favor.

Al pasar de la recepción al despacho, Gerardo percibió un cambio notorio de atmósfera; el orden y la pulcritud que privaban afuera contrastaban con el evidente caos de adentro: estanterías repletas de libros sin ningún acomodo regular; un escritorio igualmente tapizado de libros en desorden total; dos sillones reclinables enfrentados y algo que le pareció curioso, las paredes exentas de títulos y diplomas, al grado que llegó a cuestionarse: "¿No habré caído con un charlatán improvisado?".

Hasta que se sentó, se percató de que el ambiente era suavemente invadido por una sonata para piano. "Seguro es de Mozart", pensó. Entonces se materializó ante su vista el dueño de aquella voz que tanta intriga le causara:

—Estoy a sus órdenes —le dijo en forma fría e impersonal.

Gerardo no supo qué decir, hasta que por fin pudo balbucear:

—Un amigo me recomendó platicar con usted porque tengo problemas.

—¿Problemas, de qué tipo?

—Yo diría que básicamente familiares.

—Le agradecería que fuera más preciso.

—Tengo una mala relación conyugal y conflictos con mi hijo adolescente.

—¿De qué quiere hablar primero?

—De la relación con mi hijo —añadió sin titubeos Gerardo.

—Sin embargo, ¿está usted consciente de que esa relación se puede estar viendo afectada por la otra y por lo tanto no entramos al tema con antecedentes correctos, o para decirlo de otra manera, primarios? —le lanzó la pregunta, la cual recibió como una daga en las vísceras.

—Usted es el que sabe, doctor —le respondió en un cuadro de confusión.

—Dígame lo que sienta, en el orden que desee, con las palabras que más espontáneamente le broten y en el

80

tono que quiera —Gerardo sintió por primera vez que esa voz como témpano de hielo se tornaba cordial y le daba confianza.

—Pues, aunque le parezca mentira, debo reconocer que después de veintiún años de matrimonio no sé con quién me casé y a veces pienso que no sé ni por qué. Es claro el mensaje de nuestra tradición y cultura de que debemos formar una familia y compartir con alguien la vida hasta que la muerte nos separe, pero debo admitir que lo segundo me está costando trabajo. Y no es rechazo lo que siento, sino desinterés o falta de emoción y motivación. En otras palabras, no es que la relación sea insoportable, sólo que no es como yo creo y siento que debiera ser.

—¿Y cómo debería ser?

—No sé, supongo que más hacia la camaradería y de ahí se puede partir a muchos otros elementos. Pero esa camaradería que lo hace a uno sentirse apoyado no la he sentido en años, sencillamente porque creo que mi esposa y yo hablamos idiomas distintos. Quiero decir, siempre he sentido una presión particular proveniente de mi pareja, y sus comentarios, sugerencias o recomendaciones constituyen un reto para mí; entonces, me siento obligado a mantener o defender mi postura y ahí es donde van en aumento los problemas.

"Por otro lado, no me gusta que me pidan cuentas de mis actos, del uso de mi tiempo, de las actividades que me complace llevar a cabo; es algo delicado porque a mi esposa le gusta estar muy al pendiente de todo y, bueno, pues ahí también se complican las cosas."

—Y si no le gusta rendirle cuentas a nadie, ¿por qué se casó? —le preguntó el doctor con la mayor neutralidad.

—No lo sé, doctor, la verdad nunca me dediqué en serio a entender lo que es una relación de pareja ni lo que implica el matrimonio; sólo traía la inercia de un noviazgo gratificante, pero sin saber lo que seguía y con quién. Claro que también juega un papel importante la ilusión de poner tu propia casita con una persona que te gusta, y empezar a jugar al papá y a la mamá, pero lo que voy descubriendo muchos años después es que el esquema ya no me es grato, y a veces me siento como un extraño en mi propia casa.

—¿Y cuándo descubrió ese esquema? —volvió a preguntar la voz con sencillez.

—Lo asocio mucho con el momento en que mis hijos dejaron de ser pequeños; cuando mi esposa dejó de ser competitiva en el aspecto físico respecto a muchas chicas que giran en torno a mí, y también, a la luz de los problemas con los hijos adolescentes, en que la forma de manejar la situación ha sido una guerrilla constante entre nosotros.

—¡Vamos a ver!, hay varios aspectos que conviene analizar con mayor detalle —señaló el terapeuta con paciencia casi paternal—. Si mal no recuerdo, primero mencionó que usted y su pareja hablan idiomas distintos, y yo le pregunto: ¿cómo puede alguien casarse con una persona a la que no entiende?

—Es que en ese momento eso no se advierte, doctor; uno está tan concentrado en lo que quiere ver, que no sopesa o pondera lo que puede llegar a ser un obstáculo; o, si le cruza ese pensamiento, es capaz de autoconvencerse de que todo va a mejorar, así es la mente y así es la juventud; de hecho, doctor, usted sabe que hay gente que aun en edad "madura" piensa así.

—Le suplico que nos concentremos en usted —acotó la voz nuevamente fría.

—Pues, sinceramente, ésa es la única explicación que me puedo dar.

—¿Y no cree que es de lo más normal que las situaciones evolucionen con el tiempo y las parejas se vayan adaptando a esos cambios? —la pregunta sonó tan inquisidora, que por un momento Gerardo pensó que se había sentado en el banquillo de los acusados; sin embargo, enseguida la voz añadió—: Mire, señor Quiñones, este proceso de autoobservación que usted ha optado por seguir lo va a llevar por avenidas a veces incómodas, por lo cuestionante que puede ser. Dependerá de que sea profundamente honesto consigo mismo el que usted ¡y sólo usted! vaya desenredando el hilo de la madeja de su vida. Yo sólo soy un auxiliar que le ayudará a acomodar y quizás a aclarar ciertas cosas, pero el proceso y el compromiso de salir adelante lo asume usted. Por lo tanto, le sugiero irse despojando de actitudes defensivas o de tratar de mantener su autoimagen intachable, porque eso no le va a servir; además, inevitablemente oirá y encarará inquietudes aun peores —cerró contundente el terapeuta.

—De acuerdo, doctor —respondió Gerardo en tono resignado.

—Volvamos a la pregunta, ¿qué opina de que las parejas vayan evolucionando al ritmo de los cambios que se producen en su vida?

—Creo que eso está muy bien cuando hay motivación.

—¿A qué le llama motivación?

—A hechos, situaciones o incluso personas que le dan sentido a esa evolución.

—¿Entonces su evolución y adaptación dependen de hechos, situaciones o incluso personas fuera de usted?, explíqueme por favor.

—Quiero decir que el hecho de que mi pareja me acepte tal como soy es un factor importante para estar motivado, incluso para aceptarla tal como es. Que existan hijos pequeños en el hogar es un motivo de ternura y un compromiso de adaptación, para seguir adelante por ellos. Pero lo primero, doctor, es sentirse apoyado y "acompañado" en las buenas y en las malas, y cuando digo en las buenas y en las malas no me refiero sólo a los factores externos, que en última instancia son incontrolables, sino a las buenas y las malas de uno mismo, o sea, a las virtudes y los defectos, a los aciertos y los errores, en fin, a la luz y la oscuridad que cohabitan dentro de cada uno.

—¿Y usted acepta a su pareja tal como es? —le lanzó la pregunta casi como un aguijón.

—La verdad, me cuesta muchísimo trabajo hacerlo; de hecho, creo que no. No sé si sea una reacción a mi propia percepción de no sentirme igualmente aceptado; en todo caso, es algo así como la teoría de si fue primero el huevo o la gallina. Para fines prácticos, he de admitir que no la acepto tal como es y, aún más, no me siento a gusto con ella, me refiero como pareja, usted sabe —el desplante de sinceridad provocó en Gerardo una sensación de desahogo.

—Veamos, aquí hay dos aspectos. ¿Usted no acepta a su esposa como reacción a no sentirse aceptado por ella, o hay algún otro elemento involucrado? Le sugiero que reflexione sobre el tema y, si le parece bien, la próxima semana platicamos; creo que sería muy importante encarar esto para continuar —le disparó la voz que súbitamente se tornó concluyente, con lo que no tuvo más remedio que emitir un:

—Sí, doctor, de acuerdo.

—Aquí lo veo la próxima semana, ¡ah!, y le voy a pedir un favor: no me llame doctor, mi nombre es Francisco, y si quiere abreviar, Paco.

Salió de ahí sintiendo, como era de esperarse, cierto alivio por un lado y cierta culpabilidad por otro. Había confesado abiertamente por primera vez que ya no se sentía a gusto con su pareja, y eso le producía culpabilidad; sin embargo, haberlo exteriorizado con toda honestidad le generaba un desahogo nunca antes experimentado.

Muchas preguntas empezaban a dar vuelta en su mente: "¿Hacia dónde iba su vida?", "¿Qué representaba para él ese amorío clandestino que sostenía desde hacía ya dos años con la chica que conoció en aquel congreso de mercadotecnia?, ¿Estaba enamorado de ella, o sólo era el chispazo inicial?, ¿Cuánto podría durar esa relación?, ¿Podría ser ésa la causa del bloqueo de la relación con su esposa?". Definitivamente, eran demasiadas preguntas fundamentales para responderlas en ese momento. Sólo tuvo ánimo para transportar su mente hacia el momento en que ella "irrumpió" abruptamente en su vida, ¿o él en la de ella?

Terminada la sesión matutina, se produjo la consabida pausa para el almuerzo. Él la había estado observando con discreción; le llamaron la atención sus rasgos salpicados de contrastes: tez muy blanca y cabello oscuro; ojos muy azules de aspecto inocente pero mirada profunda que denotaba una vida plagada de experiencias difíciles; traje sastre con la falda lo suficientemente corta para sugerir unas hermosas piernas, pero sin ser necesariamente provocativa; saco que también permitía intuir unos senos hermosos y generosos. Sus intervenciones en el evento habían sido discretas pero acertadas, lo cual la hacía todavía más interesante.

Contaban con una hora y treinta minutos, de manera que no lo pensó dos veces y se le aproximó, lanzándole a manera de introducción el comentario que le pareció más estratégico:

—Me pareció muy interesante su comentario sobre la posibilidad de abrir "call stations" atendidas por un grupo de personas desde su propio hogar.

—Bueno —titubeó ella por lo súbito del acercamiento—, fue un artículo que leí hace algún tiempo en una revista especializada.

—Implantar ese sistema, sobre todo en nuestra cultura, tiene sus complicaciones; pero no deja de ser interesante, sobre todo a futuro, la posibilidad de ofrecerle a personas con disponibilidad limitada la oportunidad de trabajar desde su propia casa, particularmente en algo tan mecánico como contestar llamadas y proporcionar información —añadió él, más interesado en continuar el enlace que en el tema mismo.

—No creo que sea algo sólo mecánico; hay que estar bien capacitado para proporcionar toda la información, de manera que el prospecto se interese y pueda cerrarse la venta.

—Veo que el tema no le es ajeno —le propinó un halago, intentando "romper el hielo".

—Digamos que me interesa y me agrada.

—Siendo así, me gustaría invitarla a almorzar para compartir nuestras experiencias en el tema.

—¿Usted a qué se dedica? —preguntó ella, tímida.

—En primer lugar, me llamo Gerardo, y en segundo, me dedico a la consultoría de empresas que pretenden desarrollar nuevos negocios —respondió, procurando establecer un ambiente menos formal.

—Yo soy Patricia y me desempeño como ejecutiva de cuenta en una empresa de mercadeo directo.

—Me da gusto conocerte y te reitero la invitación a comer algo; espero que aceptes de inmediato, porque si no estaremos condenados a pasar el resto del día con base en esas galletas de dudosa procedencia —bromeó él, con el fin de seguir relajando el ambiente.

—¡Gracias, con gusto! —aceptó ella sin mucho titubeo, gesto de seguridad que a Gerardo le encantó, en especial porque siempre se desenvolvió en un ambiente de tal hipocresía que las chicas de su juventud eran capaces de rechazar invitaciones que calladamente deseaban, sólo por el típico "¡Qué va a pensar de mí!".

Aquella breve convivencia resultó muy placentera. En el aspecto profesional Gerardo se sintió en compañía de una ejecutiva competente y respetable; además, coincidieron dos personas con realidades muy combinables.

Llegó a su casa todavía con los "humos" de esa primera sesión con el doctor Quesada (o más bien Paco) dándole vueltas en la cabeza. Tan pronto hizo su aparición escuchó la voz de Jaime:

—¿Puedo hablar contigo?

—¿De qué se trata? —respondió él con otra pregunta, como dándose tiempo para definir qué actitud asumir ante su hijo.

—De que te quiero pedir un favor —respondió Jaime con cierto tono de humildad, que de plano lo desarmó.

—¿En qué te puedo servir?

—Necesito hacer un viaje —Jaime optó por decirlo con la mayor neutralidad y sin hablar de dinero para no hacer ruido, de entrada.

—¿Un viaje, a dónde?

—A Mérida.

—¿Yucatán, España o Venezuela? —preguntó como para relajarse a sí mismo.

—Yucatán.

—¿Y se puede saber, a hacer qué en Mérida? —seguían las preguntas.

—A visitar a un amigo.

—¡No sabía que tenías un amigo en Mérida! —apuntó en tono un tanto inquisidor.

—Bueno, no es un amigo, es un cuate que conocí recientemente.

—¿Y por qué tanta euforia con este cuate reciente? —se sintió todavía más inquisidor, pero a la vez le pareció normal su curiosidad.

—Es que me cayó muy bien y quiero visitarlo —fue lo único que atinó a decir Jaime.

—¿Por qué no me dices de una vez ¡a lo derecho! de qué se trata este proyecto de Mérida? —le lanzó Gerardo, tratando de abreviar los rodeos.

Sin entrar en muchos pormenores, Jaime le refirió el encuentro en aquella fiesta, pero enfocando todo como si fuera a otro amigo del grupo a quien había hecho los comentarios que lo motivaron a buscarlo.

Gerardo no alcanzaba a comprender qué había detrás de ese plan; sin embargo, por la actitud de su hijo sentía que era algo que no sólo le interesaba, sino que podría ser positivo para él. Por consiguiente, decidió apostarle a la sensación positiva, aun contra la resistencia natural que ya tenía contra Jaime.

—¿Y qué necesitas?

—Un poco de dinero.

—¿Y qué, el permiso te vale madres? —le preguntó con toda la intención.

—¡Claro que no!, también.

—¿También qué? —preguntó Gerardo, desafiando al orgullo adolescente y esperando que se rindiera.

—También te lo estoy pidiendo.

—¿Ya hablaste con tu mamá?

—No.

Al escuchar ese *no,* a Gerardo le resultó tan halagador y prometedor que por primera vez en su vida su hijo acudiera a él sin haberlo hecho antes con su madre, que seguidamente pronunció:

—Pásame todos los datos y dime de cuánto estamos hablando.

—Sería el próximo fin de semana, y de dinero, tú sabes mejor que yo cuánto se requiere para ir a Mérida y pasar un par de días.

—Depende de cómo te vayas y a qué hotel llegues.

—Ya en ésas, me gustaría irme en avión y llegar a un buen hotel.

—¡Ustedes los jóvenes de hoy las quieren todas fáciles! —apuntó Gerardo, más por postura que otra cosa.

—Bueno, si se puede —añadió Jaime con una humildad insólita que volvió a conmoverlo.

—Déjame hablar con tu mamá, yo te aviso.

Aunque todavía le quedó una última duda sobre el proyecto, se sentía muy complacido con el tono de la conversación y se dijo: "Estoy seguro de que rendirá resultados positivos".

Como era de esperarse, Gerardo encontró oposición conyugal.

—Está reprobado en tres materias, tiene que estudiar el doble, ¡y tú lo premias con viajes! Sugiero que nos pongamos de acuerdo por anticipado para no seguir causando confusión y división.

—En este caso creo que no es precisamente un premio, es un viaje que él siente que necesita hacer para platicar con alguien que vivió cosas importantes.

—Toda la vida me has echado en cara que lo solapo y lo sobreprotejo y ahora sales con éstas, ¡la verdad, no te entiendo!

—¡Pues aunque no me entiendas, ojalá lo apoyes! —puntualizó él, empezando a mermar su paciencia.

—¿Me queda de otra?

Gerardo ya no contestó; se limitó a salir de la habitación, más concentrado y motivado por los signos alentadores de su hijo, que agobiado por la sistemática dificultad para comunicarse con su pareja.

Jaime llegó a Mérida el viernes como a las cuatro de la tarde; para su fortuna, Alfonso tuvo el detalle de ir por él al aeropuerto:

—Bienvenido a tierras mayas.

—¡Qué buena onda, gracias por venir!

—Cuando se puede... ¿habías estado antes en Yucatán? —preguntó Alfonso.

—La neta, nunca.

—¿Y qué sabes de los mayas? —siguió preguntando Alfonso.

—Pus, creo que eran muy chingones.

—¡Puta, qué profundidad y elocuencia! —le disparó Alfonso entre broma y en serio—; no quisiera enrollarte, pero parece mentira que no te hayas interesado en saber un poco de las culturas de nuestros antepasados.

—Bueno, ya ni pedo, nunca es tarde para empezar —soltó Jaime queriendo cooperar.

—Ésa es una buena actitud, me cae que ojalá sea neta, y para comprobarlo qué te parece si le dedicamos

algunos espacios a los centros ceremoniales de la región. ¿Cuándo piensas regresar? —preguntó Alfonso con ánimo organizativo.

—El domingo en la noche.

—¡Perfecto!, tendremos chance de ir a Uxmal y a Chichén Itzá y ahí vamos platicando. Es más, esta misma noche vamos al rollito de Luz y Sonido en Uxmal.

—Como quieras —respondió Jaime casi en automático, a sabiendas de que lo que más le interesaba era adentrarse en las experiencias de ese sujeto enigmático, casi mítico, que tenía a su lado.

Abandonaron el aeropuerto y se enfilaron a casa de Alfonso; sólo hicieron una breve escala para bajar el equipaje y continuar de inmediato hacia las ruinas arqueológicas de Uxmal, donde a las siete daría comienzo el espectáculo.

Durante el trayecto, la mayor interrogante de Jaime era cómo abordar con Alfonso el tema que tanta inquietud le causaba: su experiencia de muerte y retorno a la vida.

No tuvo que pensar mucho sobre el particular, ya que el propio Alfonso le abrevió el tema:

—Me imagino que sientes mucha curiosidad por conocer mi experiencia, ¿no?

—Pus la neta, sí —reconoció Jaime.

—Vamos a hablar de ella, sólo que antes me gustaría conocerte un poco, tú sabes, la única vez que te vi estabas "hasta las chanclas" —le soltó mordaz.

—¿De dónde eres?

—Chilango.

—¿Y no te da pena?

—¿Pena por qué?

—Coño, ¡cómo pena por qué!, eres oriundo de la ciudad más poblada y más contaminada del planeta —disparó de nuevo Alfonso, esta vez más en serio que en broma.

—Ori ¿qué? —preguntó Jaime con ingenuidad.

—Oriundo, o sea originario, nativo —le explicó Alfonso.

—No, nativo ni madres, soy moreno pero también tengo mi sangre española —acotó Jaime tratando de aligerar el tema.

—Eres ignorante pero ingenioso. ¿Vives con tus jefes, verdad?

—Así es.

—¿Y cómo te la llevas?

—¿La neta, o la farsa?

—¡No manches, güey, por supuesto la neta!, aunque creo que ya la sé —respondió Alfonso casi anticipándose a la respuesta.

—Pus si ya la sabes pa'qué preguntas —replicó Jaime, acosado.

—Hazme el chingado favor de contarme.

—Si quieres oír que me llevo de la chingada con mis jefes y con mi hermana, y que mis jefes también se llevan de la fregada entre ellos, así es —fue el comentario arrojado con vehemencia por Jaime.

—Espérate, cabrón, no te adelantes —lo atajó Alfonso—; cuéntame por partes, digo, si quieres.

—Pus eso es, me cuesta mucho pinche trabajo entenderlos, y creo que también a ellos entenderme a mí.

—¿Por qué no los entiendes?

—Me jode mucho que todo el tiempo me estén diciendo lo que debo hacer o lo que estoy haciendo mal, como si fuera niño chiquito.

—¿Y tú crees que haces las cosas bien? —no le quedó a Alfonso más remedio que soltarle la pregunta.

—Pus, normal.

—¿Y qué es normal para ti?

—Pus a veces mal y a veces bien, pero lo que hago bien no cuenta, sólo se fijan en lo que hago mal.

—¿Y como qué cosas haces bien? —otra inevitable pregunta.

—No sé orita, pero sí hago cosas bien.

—Y con tu hermana, ¿cómo anda el rollo? —preguntó su nuevo amigo, cambiando de tema para darle un respiro.

—Nos vemos y nos hablamos poco, es demasiado fresa y pepina para mi gusto.

—¿En qué sentido?

—Como que anda con pura gente fingida, empezando por su novio que es un burgués insoportable; además, me cae en los güevos que mis papás la prefieran, o que siempre ella tenga la razón. Por eso cuando puedo me la agandallo.

A Alfonso no se le ocurrió una respuesta apropiada a ese comentario, de manera que decidió simplemente hacer una pausa, quizá para que el joven digiriera sus propias palabras.

De repente, Jaime cayó en cuenta que estaba sosteniendo un diálogo que habitualmente esquivaba por incómodo; sin embargo, en ese momento y con ese sujeto, le había fluido de manera natural y en cierta forma lo había hasta desahogado.

Inmerso en esos pensamientos estaba cuando escuchó:

—No te duermas que ya estamos llegando.

—No me duermo, sólo venía pensando que…

—¡Ah, piensas! —lo atajó con una broma, al tiempo que añadió—: mira qué chingonería de crepúsculo se está formando; ahora que lleguemos al centro ceremonial, se va a ver mejor.

En efecto, cuando se bajaron del auto se vio mejor el celaje peninsular en una zona plana por destino geográfico, que sin duda en ese momento contribuía a crear un escenario que hasta el más insensible podría apreciar, ya que además tenía como fondo la impactante zona arqueológica de Uxmal.

—¿Cómo observaste los territorios que pisaban nuestros queridos mayitas? —preguntó Alfonso visiblemente emocionado, a pesar de haber estado en ese lugar en repetidas ocasiones.

—Ta'chiro —reconoció Jaime, quien por primera vez en su vida se dio cuenta de que apreciaba un espectáculo cortesía de la Madre Naturaleza.

—Vamos a apañar un buen lugar antes de que lleguen los gringos con sus autobuses repletos de ignorancia aunque, ¡ni modo!, también de dólares.

Cuando el espectáculo concluyó, Jaime se debatía entre pensamientos contradictorios: ¿qué interpretación le habría dado a todo eso si lo hubieran llevado sus papás?, y ¿qué sentía realmente en ese lugar, en ese momento? No pudo dejar de hacer también una analogía entre el hecho de que los mayas de Uxmal sufrían por la carencia de agua, a tal punto que se supone que abandonaron esas tierras por la escasez del líquido, y la realidad que ahora experimentan, en pleno siglo veintiuno, muchos millones de seres humanos...

Sus pensamientos fueron interrumpidos:

—¿Qué te pareció? —le preguntó Alfonso con el ánimo de que expresara sus emociones.

—La neta, muy buena onda.

—Te dije que los mayas eran unos cuates muy interesantes, imagínate que hace un chingo de años ya poseían conocimientos exactos de los movimientos de los astros, un calendario perfecto y, aunque no lo creas, una capacidad cañona para trabajos artísticos y literarios; es más, te recomiendo que en la primera oportunidad que tengas le eches una leída al *Popol Vuh*, el libro clave de la literatura maya.

—¿Y qué onda con ese libro? —preguntó Jaime, sólo por cortesía.

—Fue un texto fundamental para esos pueblos. En la primera parte, muchos de cuyos pasajes guardan abierta similitud con los de la Biblia que todos conocemos, describe la creación y el origen del hombre. En la segunda parte hay múltiples episodios con mensajes de moral, castigo del mal y humillación de los soberbios, de nuevo igual que en la Biblia. En la tercera ya se refiere en particular al origen y la evolución de los pueblos indígenas de la región, hasta poco antes de la Conquista española.

—¡Ahh! —respondió Jaime, aunque para sí pensó: "Qué güeva".

Tan pronto emprendieron el camino de regreso, volvió la sesión de preguntas:

—¿Y de hembras cómo andas?, ¿tienes novia?

—Tenía.

—¿Se puede saber qué pasó? —insistió Alfonso.

—Pus tronamos, era muy fresa.

—¿En qué sentido?

—No jalaba parejo.

—¿Quieres decir que no quiso entrarle a los excesos de alcohol, yerba, etc., y que además no le entró al acostón? —la pregunta le sonó muy agresiva, pero en el fondo era muy realista.

—Algo hay de eso —no le quedó más remedio que responder con cierta falta de convicción.

—A ver, my friend, ¿la neta tú buscas una chava que ande de lleno sumergida en esas ondas, que le entre a todo y, perdona la expresión, que le entre todo?

El planteamiento fue tan crudo y directo que Jaime sintió una confusión inusual, al grado que admitió:

—Bueno, no tanto, pero tú sabes que en la bola el que pierde el ritmo se queda atrás.

—Ése es precisamente el problema, la bola te obliga o te incita a hacer una cantidad de pendejadas de las que luego te arrepientes; bueno, yo hablo por mí.

En un acto de honestidad, Jaime hubo de reconocer que era cierto; además, no lo hacía ante sus padres sino ante un tipo casi de su misma edad quien, por otro lado, llevaba una experiencia a cuestas que él ardía en deseos de conocer.

—Pus la neta es cierto, sólo que a veces como que no te puedes rajar, tú sabes, el oso…

—¡Ése es otro pedo! —atajó Alfonso—; pero déjame decirte que una chic que se da a respetar y que está segura de lo que quiere merece respeto, y si además es encantadora, ¡uufff!

El comentario dio en el blanco. Jaime hizo un súbito regreso mental para reconstruir en su mente a Lucía y la imagen que le llegó, lo llevó a expresar casi inconscientemente:

—Tengo que confesarte que me apendejé y la dejé ir, ahora creo que anda con otro güey. La verdad, me siento de la chingada, porque esa chava me latía: todo.

—Ojalá la recuperes, pero no va a ser tan fácil; hoy por hoy, esas nenas son joyas casi ocultas y quien la apañe, o apañó, no la va a soltar así nomás.

Necesitaba cambiar de tema, en ese momento no había nada que pudiera hacer respecto a Lucía, aunque también se convenció de que algo intentaría. Por lo pronto, aprovechó para hacer un giro:

—Cuéntame de tu experiencia —le solicitó con cierta avidez.

Se encontraban a diez minutos de Mérida y Alfonso sugirió:

—Ya casi llegamos y estamos un poco cansados. Mejor vamos a la casa, comemos algo ligero y mañana continuamos con renovados bríos.

Esa noche fue inquietante para Jaime. Le costó conciliar el sueño, ya que su mente se empeñaba en repasar los distintos temas que, de una manera u otra, le agobiaban: ese sujeto enigmático (*¿cómo habrá sido su experiencia?*), Lucía (*¿cómo recuperarla?*), sus papás (*¿qué futuro le esperaba a esa relación?*), sus estudios (*¿cómo salvar el año?*).

Al día siguiente, si bien no estaba totalmente descansado, se sentía muy motivado: sabía que, de manera inevitable, ése era el día en que por fin Alfonso compartiría con él su experiencia, esa experiencia que, algo le decía, provocaría cambios en su vida.

Todavía se encontraba en la cama cuando Alfonso hizo su aparición:

—¡Se acabó lo que se daba! Vámonos poniendo en acción que hoy tenemos mucho que hacer —expresó con entusiasmo, al tiempo que irrumpía en la habitación asignada a su huésped.

—¡No manches!, ¿qué horas son? —preguntó Jaime, amodorrado.

—¡No manches tú!, ya son las nueve. Como no dabas señales de vida, de plano vine a ver si tus intenciones son pasar el día en cama, en cuyo caso avísame para traerte el desayuno sin que tengas que levantarte —le aseguró Alfonso, irónicamente divertido.

—¡Cómo crees!, estoy listo en diez minutos.

—Que sean once, pero báñate.

—¿Qué te pasa, güey?, yo siempre me baño —no supo si la observación se la había hecho en broma o en serio, pero por si las dudas se defendió.

—¡Bueno, ya!, arriba que se te van a inflamar los genitales. Te espero en la cocina para ejecutarnos un desayunito y lanzarnos a Chichén.

A sugerencia de Alfonso tomaron los inevitables huevos motuleños, típicos de la región, lo cual causó cierta curiosidad a Jaime: ¿cómo unos huevos casi rancheros podían llevar chícharos regados en todo el plato? "Qué raros son estos yucas", pensó.

Cruzaron la ciudad, que a la luz del día le pareció a Jaime una combinación de señorial ciudad colonial y pueblo bicicletero.

Era un día espléndido: el cielo lucía muy azul y, a pesar del sol radiante, quizá por la hora, todavía no se sentía mucho calor. Iba cómodo y contento; sin embargo, las pocas horas de sueño, combinadas con el arrullo natural de la carretera, lo sumergieron en un sueño del cual despertó cuando escuchó la voz de su amigo:

—Oye, güey, tú como copiloto francamente sí te morías de hambre.

—¡Qué pasó!, ¿dónde estamos? —se incorporó Jaime con esa confusión que produce un despertar repentino.

—En el planeta Tierra.

—¡Puta!, me quedé bien jetón.

—Nomás como una hora y veinte minutos, ya estamos llegando.

—¿Cuánto falta?

—Unos diez minutos, a lo sumo.

—¡A mí no me sumes nada! —exclamó Jaime de muy buen humor, habiendo recuperado energía con esa oportuna siesta.

—Pues por lo menos te voy a sumar la cuenta de los gastos.

—¡Sí, por cierto, dime de a cuánto me toca!, yo sé que ya has estado pagando cosas...

—No te preocupes, al final nos ponemos de acuerdo, por lo pronto ¡aflójate y disfruta!

—¿Qué, me vas a violar?

—Lo dirás de broma, pero en cierta forma sí.

Llegaron al centro ceremonial sin más diálogo que el que se puede producir entre preguntas como: "¿Qué te parece?", y respuestas como: "¡Poca madre!".

Recorrieron la primera parte pasando junto a la bella pirámide de Kukulcán y el Templo de las Mil Columnas. Cruzaron la explanada principal y se sentaron cobijados por una sombra al lado del Juego de Pelota.

No esperó Alfonso a que se le pidiera hacer uso de la palabra, simplemente dejó que las palabras fluyeran tal como estaban dispuestas a salir.

—No me puedo quejar de la vida que me ha tocado hasta ahora, a mis veintidós años. Es más, puedo considerarme un tipo afortunado porque ahora sé quién soy, de dónde vengo y a dónde voy; porque tengo muy claro lo que quiero y lo que no quiero; pero, sobre todo, porque después de esa experiencia mi vida tiene ahora un propósito.

"Antes de entender todo eso, mi vida era un caos, o sea, para que me entiendas, un mar de confusiones y de resentimientos, y lo peor es que no estaba consciente de muchos acontecimientos.

"Con el tiempo me di cuenta de que mi infancia fue muy difícil. No sé si mi madre era rechazante porque tenía problemas, o si sus problemas la hacían ser rechazante; el hecho es que yo estaba profundamente enamorado de ella, pero su indiferencia me partía por la mitad. Bueno, eso no es tan fácil de reconocer a simple vista, pero después de pensarlo un buen rato, así lo veo.

"De cualquier forma, creo que influyeron positivamente en mi desarrollo los otros dos elementos que, como dice Serrat, forman parte de ese taburete de tres patas en que se sustenta la formación de una persona: la casa, la escuela y la calle.

"En la escuela, aunque hubo represión, debo decir que algunos de mis maestros eran muy buenos. Además, ¡qué maravilla que ahora los puedo recordar, aterrizar y contextualizar! Muchas de sus enseñanzas, aunque entonces me daban güeva, ahora te digo que lamento no haberlas aprovechado en forma suficiente.

"Y la calle fue para mí una especie de universidad anticipada. Vivíamos en un barrio de medio a popular; por lo que interactué en un ambiente polifacético. Eso me hizo darme cuenta desde chavo de una realidad muy cercana a la realidad, perdonando la redundancia.

"La relación con mis padres no fue buena, en primer lugar porque eran, como quien dice, torpes e ignorantes. Supongo que se veían comprometidos a educar hijos sin tener el oficio y sin que la vocación les quedara clara. No los culpo, porque siguieron el mismo camino de sus padres, que vivieron una época muy pendeja en ese sentido. Creo que a su manera hicieron su mejor esfuerzo.

"Por otro lado, sí resiento cosas como la incongruencia y la injusticia.

"¿Cómo era posible que mi padre, con un cigarrillo entre los dedos, me amonestara con la perorata de que el tabaco es nocivo? ¿Cómo era posible que me advirtieran sobre el peligro del alcohol cuando yo veía en repetidas ocasiones a mi padre y a mis tíos ¡hasta la madre!?

"Mis padres se divorciaron cuando yo tenía trece años, y la verdad, tanta pinche contradicción me produjo una sensación de soledad y protesta, que se tradujo en rebeldía. Una rebeldía que me incitaba a desafiar lo establecido.

"Empecé a beber, a fumar mariguana, a consumir coca y hasta pastas. Por un lado huía de la realidad, y por otro inconscientemente pensaba que haciéndome daño los lastimaba también a ellos. Sufrí gran cantidad de pasones realmente espectaculares, al grado de que —después me enteraba— hacía cosas denigrantes para un ser humano, como vomitar sobre el vestido de la festejada en su fiesta.

"Ahí te va: una noche, en una de esas fiestas que preparas y mentalizas con tanta intensidad que terminas cagándola por completo, ¡la cagué por completo!

"Eran los quince años de una prima y, seguro de que sería un acontecimiento de altos vuelos, con buena bebida, buena comida, buen desmadre, etc., llegué y empecé a beber a un ritmo que no te quiero ni platicar. Cuando me sentí, no medio pedo sino de plano pedo, fui al baño y me metí un jalón de coca, lo que me devolvió la estabilidad. Me puse tan contento que empecé a bailar picudísimamente; sin embargo, esa sensación me motivó a seguir bebiendo hasta que me puse no de plano pedo sino repedo. Como no era prudente estar así en esa fiesta familiar, tuve que ir al baño y darme otro 'joloncito'. Esa segunda dosis me estabilizó, pero definitivamente ya no era igual, aunque en ese momento yo creía que sí.

"No pasaron más de veinte minutos cuando me tropecé con Julio, un chavo muy loco de la comarca, quien cuando me vio consideró que mi mejor opción para alivianar ese momento era una de sus 'pastitas', la cual ingerí sin mucho cuestionamiento.

"Fue un despegue tan espectacular como el aterrizaje; lo último que recuerdo es que estaba bailando con mi primita cuando sentí unas náuseas tan incontrolables que, sin poderlo siquiera disimular, empecé a vomitar como una fuente. Para cuando llegué al baño, apoyado por algún alma caritativa, ya había expulsado todo lo que tenía adentro, de tal manera que nació en mí una esperanza de mejoría.

"Sin embargo, ahora sí que no tengo palabras para expresarte la puñetera angustia que experimenté enseguida: sentí que algo especial estaba sucediendo pues empezó a invadirme un calor endemoniado, sobre todo en la cara y particularmente en las orejas. Después todo perdió nitidez, se volvió borroso y centrifugado; la combinación de todos los colores produjo el blanco, un pinche blanco tan deslumbrante que de repente volvió todo negro. El tiempo y el espacio no sólo fueron ocupados por la oscuridad, sino por la indudable certeza de un viaje vertiginoso e inevitable durante el cual se me presentó, en una visión increíble, la historia de mi vida pero, más que nada, la enorme y angustiosa necesidad de enmendar todo y volver al presente, a la realidad.

"A lo lejos escuchaba voces, cuchicheos, incluso lloriqueos, hasta que todo quedó en un silencio absoluto.

"No puedo precisar cuánto tiempo transcurrió en ese silencio total, ni si la voz que lo rompió era la mía o una ajena. Lo que sí puedo decirte es que era una voz al mismo tiempo dulce y cuestionante, una voz que ahora me hacía vomitar, pero pensamientos y sentimientos. Tampoco podría precisar el tiempo que tomó este otro vómito, pero fue muy claro cuando de súbito me vi frente a un espejo. Créeme que no tiene nada que ver cuando te ves al espejo para vestirte o peinarte. Ésta era una visión profundamente vergonzosa que no quería ni ver. Sin embargo, fue entonces cuando ¿me dije?, ¿se me dijo?, no lo sé, el caso es que me cae que escuché: 'Si quieres disfrutar de otra oportunidad, no sólo deberás echarle muchos huevos, sino comprometerte con la humanidad, con esa misma humanidad que hasta ahora te ha valido madres. Eso implica no sólo brindarle la mano a cuanto jodido te encuentres a tu paso, sino particularmente a cuanto sujeto veas sumido en el mundo de las adicciones, en el mundo de las confusiones, en el mundo de los rencores. Se necesitan ángeles que sean parte de la solución, porque ya hay muchos diablos que son parte del problema'.

"Si no encontraba palabras para describir la angustia del viaje a lo desconocido, menos aún para narrar el enorme gozo que me produjo la posibilidad de esa maravillosa oportunidad, de manera que recuerdo haber emitido un: '¡Te lo suplico, déjame hacerlo!'.

"Cuando volví en mí, me encontraba en una sala de terapia intensiva, entubado, con una venoclisis, un respirador y un ambiente sombrío a mi alrededor. Después me enteré de que estuve clínicamente muerto durante siete minutos y que desde el desvanecimiento en la fiesta hasta ese momento habían transcurrido cuatro días."

Muchas preguntas sin respuesta bullían en la cabeza de Jaime, quien a partir de esa narración entendió el fervor con el que ese sujeto lo abordó y amonestó durante aquella fiesta.

¿Sería cierto todo ese cuento, ese encuentro con la muerte?; ¿su alma había viajado o se había mantenido en su cuerpo?; si viajó, ¿a dónde fue?; ¿quién se metió dentro de él, o dónde se fue a meter él?; ¿con quién habló?; ¿sería consigo mismo?; ¿alguien lo sacó adelante, o acaso él salió solo?; ¿visitó a Dios o al Diablo?; ¿existe Dios?; ¿existe el Diablo?; ¿qué sigue ahora?; y Lucía, ¿dónde estará?; ¿con quién?; ¿querrá volver a saber de mí? Bueno, y yo, ¿para qué estoy en este mundo?, ¿cuál es mi futuro, mi destino?, ¿ya lo tengo marcado, o está en mi poder trazarlo a partir de ahora? ¿Cómo me veo y cómo no me veo?, ¿cuáles son mis virtudes?, ¿cuáles son mis defectos?, ¿realmente puedo decir que me conozco?, ¿quiero saber quién soy?... ¡Coño, es demasiado!

Fue tan abrumadora la avalancha de inevitables cuestionamientos, que se angustió. De repente sintió que la experiencia vivida por Alfonso fácilmente le pudo haber tocado a él, y sintió todavía más angustia. Sin poderlo controlar prorrumpió en llanto, al principio discreto, pero que conforme repasaba las preguntas se convirtió en un llanto intenso, explosivo, desgarrador, liberador.

Mientras Jaime transitaba por territorios mayas, en su casa, a mil trescientos kilómetros de distancia, sus padres transitaban por una confrontación conyugal:

—Espero que de algo le sirva a Jaime tanto permiso y tanto viaje que le das —dijo ella.

—No entiendo a qué viene ese comentario, más bien tú eres la que te pasas de protectora y encubridora, y ahora me sales con eso. ¿Dónde está la congruencia? Te repito que le di ese viaje como una demostración de apoyo.

—Sí, pero reprobó materias y es muy irrespetuoso en casa.

—¡Vaya!, parece que ahora sí te das cuenta de algo que venimos enfrentando desde hace mucho.

En el fondo, Diana sabía que su hijo no era el meollo del problema con su marido; de hecho, se daba cuenta de que al iniciar la batalla con ese pretexto, no hacía más que desplazar otros conflictos que, al fin y al cabo, eran los reclamos principales: sus exigencias irrespetuosas; sus infidelidades; su visible impaciencia en la relación con ella; sus deseos ostensibles de pasar el mayor tiempo posible fuera de casa; su desinterés hacia los intereses de ella.

No tuvo ánimo para seguir discutiendo, de manera que sólo emitió un muy poco convincente:

—Me queda claro que tú siempre tienes la razón.

Salió sin esperar siquiera la respuesta de su marido, el cual se sorprendió por su reacción. Diana subió a su automóvil y lo condujo hasta un punto en que no sabía exactamente a dónde se dirigía. Entonces, se detuvo, localizó su agenda en su bolso y ávidamente empezó a buscar; una vez que ubicó el número deseado, tomó su celular y marcó:

—¿Se encuentra la señora Gloria?

—¿Quién la llama?

—Diana, soy una amiga.

—Permítame, por favor.

Estaba muy ansiosa y la sensación se agravaba conforme transcurrían los segundos sin que su amiga contestara el teléfono. Por fin lo hizo.

—¿Bueno?

—Hola, Gloria, habla Diana, necesito verte, ¡estoy muy mal!

—¿Qué te pasa, amiga?

—Acabo de discutir otra vez con Gerardo, pero eso no es lo más importante, lo importante es que creo que me estoy dando cuenta de cosas —para ese entonces la comunicación vía celular empezaba a complicarse.

—¡Bueno, bueno…!; no puede ser, con estos celulares siempre es lo mismo.

No esperó un momento y volvió a marcar; esta vez contestó directamente su amiga:

—¿Estás en un celular, verdad?

—Sí, oye, antes de que esta mierda se vuelva a cortar, dime, ¿te puedo ver?

—¿Cuándo?

—¡Ahora mismo!, necesito compartir mi sentir.

—Prefiero que exteriorices tu pensar.

—¡Por supuesto, es sólo un decir! —no pudo dejar de considerar que recurría a una persona demasiado cerebral.

—Mira, Diana, me disponía a salir, pero si es tan urgente como dices, con mucho gusto. Sólo que te agradecería que fuera aquí, porque después tengo cosas que hacer por este rumbo y tú sabes que esta ciudad no está para darse el lujo de andar de un lado a otro.

—¿Sigues viviendo en la casa que tenías con tu esposo?

—¡Ex esposo!, aunque te tardes un poco más.

—Te veo en media hora.

Sin titubeo arrancó y se enfiló al destino deseado; era la hora en que supuestamente se intensificaría el tránsito y no había tiempo que perder.

Le tomó exactamente treinta y cinco minutos llegar a casa de su amiga, no sin antes experimentar todo tipo de peripecias viales. Con tal de ganar tiempo trazó su mejor ruta, buscando evitar zonas difíciles; aun así, no pudo sustraerse a algunos incidentes viales en una de las ciudades más conflictivas del mundo, lo cual contribuyó a aumentar su nivel de aprehensión. Cuando estuvo frente a Gloria, ésta, al verle el semblante, le ofreció:

—Ponte cómoda, Diana, déjame servirte un tequilita.

—No te preocupes, así estoy bien —atajó.

—Como quieras, ¿para qué soy buena?

Sin más preámbulos, se lanzó en un torrente de declaraciones que fluyeron en una especie de avalancha emocional:

—Mi vida conyugal es un verdadero desastre.

—Ya empezamos bien —la interrumpió Gloria quien, al notar el gesto de confusión de su amiga, añadió—: hay algunos que viven un verdadero desastre y ni se enteran, bueno, digamos que no se quieren ni enterar. Además, te sorprenderías del montón de almas que transitan por ese esquema. Perdón por la interrupción, pero por eso te digo que ya empezamos bien. Por favor, continúa.

—Entre Gerardo y yo flota un ambiente de rechazo y nuestros constantes roces a causa de los hijos, la casa y otros asuntos, no son sino la válvula de escape o el pretexto para dar salida a algo mucho más profundo. Él quiere estar en cualquier lugar menos en su casa, o conmigo, para ser más precisa; yo, como consecuencia de ello, no puedo dejar pasar ninguna oportunidad para manifestar mi desilusión y contrariedad al respecto. Pero la verdad es que ninguno de los dos estamos encarando la situación de frente y abiertamente.

—¡Caramba, te felicito! Me parece que has hecho un diagnóstico muy objetivo de la situación; sin embargo, supongo que tu gran reto es cómo pasar a la acción, ¿no es así?

—¡Exactamente! El panorama me queda muy claro pero siento mucho miedo de destapar ese asunto: no quiero quedarme sola, ni que mis hijos sufran, ni ser blanco de los chismes de la gente porque, a pesar de lo que diga, debo admitir que sí me importa el qué dirán. Tú sabes, en teoría todos nos jactamos de que nos vale un cacahuate la opinión ajena, pero en la práctica, en mayor o en menor medida, la sociedad nos hace rehenes de su aprobación.

—Déjame hacerte una pregunta, ¿qué posibilidades reales de solución crees que tiene la situación por la vía del diálogo franco y honesto?

—La verdad, muy pocas, y no es que sea negativa, pero siento que la atención y la intención de mi marido están puestas en otras situaciones y personas.

—¿Quieres decir que hay alguien más?

—Así es, sostiene otra relación hace dos o tres años.

—¿Y tú crees que esa relación es consecuencia del deterioro del matrimonio, o éste se dio a partir de dicha relación?

—¿Sirve de algo el origen?

—En cierta forma, sí. En teoría, si se dio una nueva relación por una deficiencia en la anterior, al corregir la deficiencia se resolverían sus consecuencias; sin embargo, si por alguna razón se dio esta nueva relación y esto produjo el deterioro de la otra, la situación se torna más complicada.

—Con deficiencias o sin deficiencias, los hombres llevan consigo latente la semilla de la infidelidad.

—Pues sí, pero precisamente para que la aventurilla se convierta en algo más importante tiene que coincidir con un hueco o un vacío. ¿Como qué? Como la falta de superación, el abandono físico y el intelectual, o lo que te decía en otra ocasión: querer convertirnos en jueces, jurados y verdugos de nuestros esposos, reducirles los espacios a tal grado que cualquier minuto fuera de nuestra influencia se convierte en un espacio ideal para ellos.

—A final de cuentas, yo que me creía ajena y lejana, casi casi vacunada contra ese tipo de situaciones, estoy al borde del fracaso matrimonial —al decir esta última expresión no pudo evitar acompañar el comentario con un acceso de llanto.

—¡Amiga, amiga!, no se le puede, ni se le debe llamar fracaso a una experiencia más en la vida. Ojalá esto fuera como un programa de cómputo que responde a un procedimiento preestablecido. No, la vida es un torrente de pérdidas y ganancias, ése es su curso normal; quien quiera vivir sólo ganancias, sin conocer las pérdidas, se convierte en un candidato automático a la frustración.

"El hecho de que tu matrimonio no pudiera continuar, si ése fuera el caso, no quiere decir que por decreto social deba continuar, sobre todo si su esencia, que son la libertad, la motivación, la convicción y el compromiso, ya no están presentes. Y tal cosa no es un pecado, es simplemente que algo no se dio y un ciclo terminó. Por lo menos hay gente que es honesta y prefiere aceptarlo y actuar en consecuencia, que sobrellevar una vida de simulación, farsa y acomodo. De manera que yo te sugeriría un proceso muy sano:

"Primero, pregúntate y contéstate quién carambas eres; segundo, cuál es la realidad que impera, no la que quieres ver, y tercero, cómo te quieres ver a futuro.

"La primera pregunta parece sencilla, pero es la más complicada de todas.

"Tus posibilidades de encarar las siguientes dos preguntas dependen de tu nivel de comprensión de ti misma."

Las palabras de Gloria resultaban como un bálsamo momentáneo que, si bien no la curaba del todo, sí le adormecía la herida y le inyectaba ánimos para enfrentar lo que sabía que tarde o temprano se presentaría.

Inútil le pareció seguir haciendo comentarios, tenía mucho que reflexionar sobre sí misma si quería tener armas para seguir adelante, de manera que optó sólo por despedirse llevándose a cuestas algo más que un sollozo.

A su regreso de Yucatán, Jaime, cosa curiosa porque en otras ocasiones era lo primero que hacía, no sintió mucho interés en ir a buscar a Beto. El viaje y lo que en éste había visto y escuchado no lo habían transformado radicalmente, pero reconocía que, de alguna manera, se sentía diferente.

Dadas las circunstancias, ahora a quien le interesaba mucho ir a buscar era a Lalo, ese sujeto que siempre le había transmitido una sensación de frescura-locura-cordura, una paradoja desconcertante.

Sin pensarlo dos veces, tomó el teléfono, temiendo que su cuate no hubiera regresado del viaje a Europa. Sin embargo, había llegado el día anterior.

—¡Quionda Lalo!, pensé que no te iba a encontrar.

—Apenas tengo unas horas en la Gran Tenochtitlán.

—¿Y cómo te fue?

—¡Uuufff!, lo que te diga es poco, no sólo por los lugares, por el congreso, las ponencias, las chics, bueno, todo.

—¿Cuánto tiempo te echaste?

—Escasos siete días, me hubiera echado siete meses, o siete años como lo hice en el Tibet.

—No seas mamón, por favor, ¿cuándo nos vemos?, acuérdate de que tenemos ese pendiente —le recordó Jaime notoriamente interesado en entablar contacto.

—¿Qué te parece si me das chance de organizarme y te echo un fonazo?

—Órale, espero tu llamada.

Transcurrieron cinco días hasta que se produjo la ansiada llamada. El diálogo estuvo salpicado con la tónica chispeante que frecuentemente acompañaba esa relación:

—¿Bueno?

—Creo que todavía…

—¿Con quién quieres hablar?

—Contigo, güey, soy yo, Eduardo Salcedo, alias Lalo.

—Pus identifícate, güey.

—Pus eso estoy haciendo.

—¿Quionda, ya terminaste de desempacar tu estuche de cosméticos?

—Sí, lo único que no encuentro son los támpax que me encargaste.

—¡Puta, contigo no hay forma!

—No, no soy puta, y sí hay forma.

—¿Qué onda, cuándo nos vemos?

—Mañana es sábado, ¿qué vas a hacer?

—Lo que tú sugieras.

—Hagamos algo. Nos vemos en el Museo Rufino Tamayo, hay una exposición de Abel Quezada; vamos a echarle un ojo y luego comemos.

—¿Rufino qué, Abel qué?

—Mira, güey, nos vemos en el Museo de Antropología; si ya no llegas ni a ése, te juro que eres un digno beneficiario del Teletón.

—Okey, ¿a qué hora?

—¿Te parece bien a las doce del mediodía?

A las doce menos diez, Jaime, sentado en la escalinata del museo, experimentaba la emoción de un encuentro importante con alguien cuya filosofía de la vida le atraía mucho, y se dio cuenta de que hasta le convenía como aliado y parámetro a seguir.

La visita fue para él una experiencia maravillosa; sin darse cuenta aprendió cosas que ignoraba, como el hecho de que hayan existido periodistas permanentemente críticos del sistema, a pesar de la fuerte represión y corrupción imperantes contra la fuente, en la época más rabiosa de la dictadura del partido oficial.

Después de dos horas de recorrido, emprendieron el camino hacia la Zona Rosa, donde ingresaron en un restaurante típico que, pese a la cantidad de gringos que lo frecuentaban, se mantenía siempre como un sitio representativo (y sabroso) de la comida mexicana.

Ambos pidieron una michelada y un tequila reposado, acompañados por unos cuantos antojitos a manera de botana.

—A ver, Lalo, cuéntame de tu viaje.

—Pues la verdad, a toda madre; además de relacionarme con gente, cuates muy buena onda, estuve en lugares muy sensibles para mí.

—A ver, cuéntame todo el chingado recorrido.

—De México fui a Ginebra, previa escala en Frankfurt. En Ginebra se llevó a cabo el Congreso, el cual duró tres días. De ahí me fui en chinga otros tres días a París por mi cuenta, por lo menos para satisfacer ciertas inquietudes, las cuales, déjame decirte, fueron ampliamente satisfechas.

—¿Congreso de qué era?

—Fue una experiencia muy reveladora pues invitaron a estudiantes universitarios provenientes de todos los continentes, con el único propósito de conocer su punto de vista sobre lo que está pasando y lo que puede pasar en este valle de lágrimas y risas llamado planeta Tierra.

—¿Y qué tal?

—¿No te estoy diciendo que a toda madre?

—No te hagas pendejo y cuéntame algunos detalles.

—Ahí te va.

—No empieces con albures; ya en serio, cuenta.

—De las cosas que más me impactaron fue una ponencia de una chava proveniente de la ex Yugoslavia, concretamente de la región de Kosovo, tú sabes, lares por donde llevan años dándose de madrazos. Total que, motivada por la angustiante realidad de su país, esta chica se puso a investigar sobre la guerra en la historia de la humanidad. Ora sí, no es albur, pero siéntate para que no te vayas de culo al escuchar esto:

"En los últimos tres mil cuatrocientos años, el planeta ha gozado periodos de paz solamente en doscientos treinta y cuatro años, y en pleno siglo veintiuno todavía quedan poco más de cincuenta conflictos armados que no han sido resueltos, más los que se acumulen mientras tú y yo platicamos. O sea, hemos vivido en un planeta prácticamente en guerra; el ser humano no está tranquilo si no se está puteando con sus semejantes. Eso significa que el porcentaje de paz en la historia de la humanidad es de cero punto cero seis por ciento, algo insignificante.

"¿Y quieres saber más?, a pesar de esa dramática realidad, todavía hay chavos que, al igual que sus padres, están convencidos de que la fuerza es la única vía para tomar o recuperar lo que creen que les pertenece. Pa'no ir más lejos, tan sólo en ese congreso, una cuarta parte de los jóvenes participantes justificaban o apoyaban la guerra; claro que esa cuarta parte de troglodytas está integrada por güeyes de los países ricos y poderosos, con unas pinches economías de guerra impresionantes que manejan unos presupuestos para la industria militar de tal magnitud que no es de extrañar que ellos, sus padres, abuelos, bisabuelos, tatarabuelos, etc., hayan nacido, crecido y muerto con esa mentalidad.

"Otra parte de los jóvenes que justifican la guerra y la violencia son los musulmanes, aunque esos cabrones lo hacen por la combinación de dos motivos: históricamente han vivido en guerras, o invadiendo a otros o siendo invadidos por otros, lo cual se mezcla con el hecho de que por su raza, religión, cultura y costumbres son aferrados, fanáticos, extremistas, pues.

"Claro, esto que te platico de manera muy simple es mucho más complicado, pero básicamente es mi interpretación de lo que se manejó ahí sobre el tema."

—¿Sobre qué otros asuntos se habló?

—Uno de los que para mí fue muy atractivo es la opinión de los jóvenes sobre a quiénes consideran como los grandes personajes o figuras del siglo veinte, y esto no abarca solamente a héroes, sino en un momento dado también a villanos, como el caso de Hitler, quien fue ampliamente señalado como uno de los personajes que influyeron en los acontecimientos del siglo. Desde luego que la gran mayoría de los que se mencionaron debe su fama a su aportación positiva y, como en todo, algunos fueron motivo de polémica.

"En lo personal yo creo que todo el que ha logrado formarse una visión, con base en la cual se ha comprometido consigo mismo, con la historia, y ha tenido los huevos para luchar por su causa, merece respeto, aunque en este grupo aparezcan gentes con proyectos aberrantes o con medios absurdos para lograrlo."

—¿Y quiénes son, según este punto de vista, esas grandes figuras?

—Entre los que recuerdo muy claramente están: Charles Lindbergh, supongo que sí sabes quién fue este gallo.

—Era un piloto aviador, ¿no?

—No sólo era piloto en la época en que los pinches aviones volaban de milagro, sino que fue el primer ser humano en cruzar el Atlántico en un cacharro que, si lo ves bien, no te animas a viajar en él ni de aquí a Tres Marías.

—¿Tanto así?

—No te hagas el mamón, yo te estoy contando cosas serias para sacarte de esa pinche ignorancia y tú...

—Bueno, ya, no te encabrones y cuéntame quién más fue mencionado.

—¿Sabías que al maestro Lindbergh, apenas unos años después de su hazaña, le secuestraron a un hijo y se lo mataron? Y eso fue a principios del siglo xx, para que no creas que lo del secuestro es una chingadera moderna. De cualquier forma, gracias a gente como Lindbergh, el mundo, la ciencia y la aventura han avanzado.

—A partir de este momento declaro a Charles Lindbergh, Charles Lind-berga.

—Después de todo, eres mamón, pero simpático.

—Mira, ya en serio, te estoy preguntando porque me atrae mucho saber y conocer quiénes son las figuras que han contribuido a hacer que esto camine un poco mejor. Durante mucho tiempo no me interesó otra cosa que echar desmadre, pero ahora veo que estaba muy pendejo, que a la par del desmadre hay muchas cosas que vale la pena conocer y experimentar si es que no quiere uno quedarse como un auténtico burro, y no lo digo por mis genitales.

—¡Otra vez con lo pelado en la boca! También salieron a relucir gente como Anna Frank, la que estuvo dos años escondida de los nazis y escribió un diario muy llegador sobre todo ese proceso.

—¡Ah, sí!, algo he escuchado de eso. ¿Quién más?

—Que recuerde, así rápidamente: la madre Teresa de Calcuta, quien realizó una obra muy chingona en favor de los miserables, pero también nos dejó una frase para ponerse a pensar en serio, algo así como: 'En occidente hay mucha soledad, lo que yo llamaría la lepra del mundo occidental, y pienso que es peor que nuestra miseria en Calcuta'.

"Bueno, también salieron a relucir Muhammad Alí, Pelé y Marilyn Monroe, quien dijo: 'Si he de llegar a ser un símbolo de algo, quisiera ser un símbolo sexual', y mira que se lo tomaron en serio, y en serie, los Kennedy.

"Otro personajazo muy recordado y admirado fue Lady Di, quien 'se coló hasta la cocina' de la realeza británica, en cierta forma la desafió y después... después, sepa la chingada qué pasó."

—¿Es cierto que la mataron?

—Te estoy diciendo que no sabemos qué coños pasó. Es otra de las muertes que ahí están flotando en la historia contemporánea, y todos opinan pero todos están hechos camote.

"Bueno, my friend, otro día seguimos platicando; me tengo que poner en acción porque 'la casa pierde', y hay mucho que hacer."

—¡No manches!, ¿a dónde vas que mejor te traten?

—Por lo pronto, a terminar un trabajo pendiente, después con una nena, a ver si efectivamente me tratan mejor.

Jaime salió del restaurante con esa sensación ya familiar de querer ser como su amigo Lalo, pero esta vez acompañada de la determinación de hacer algo al respecto y no quedarse sólo con la intención.

Las siguientes sesiones de Gerardo con esa voz convertida ya en un nombre: Francisco, Paco, Pancho —le daba igual—, resultaron como una coladera que se destapa y despide cualquier cantidad de olores, mayormente nauseabundos. No obstante, al mismo tiempo pudo enfrentarse a sí mismo trayendo al plano consciente situaciones, hechos, vivencias, que de una u otra forma se manifestaban en su vida presente como fuerzas ocultas y misteriosas.

Descubrió dentro de sí un conflicto con la autoridad, porque en tempranas épocas de su vida ésta le fue aplicada no sólo de manera injusta sino incongruente. Recordó la gran cantidad de veces que sus mayores le impedían o prohibían determinadas conductas, que ellos practicaban impune y descaradamente.

Descubrió y aceptó que asociaba a su esposa con la autoridad, pues muchos de sus rasgos le recordaban actitudes de su mamá.

Se dio cuenta de que la forma autoritaria en que lo trataron los legionarios en la escuela lo había empujado a ser un rebelde, ávido de conducir su vida como le diera la gana, y se percató del gran conflicto que le ocasionaba tener que dar cuenta de sus actos a cualquier otra persona, llámese padres, esposa, jefes, etcétera.

Por último, se convenció de que al vivir en esa desarmonía corría el riesgo inminente de contraer una enfermedad sicosomática de consecuencias lamentables.

Se preguntó una y mil veces cómo era posible que los adultos dieran sermones a los jóvenes en cuanto a honestidad, solidaridad, justicia o prudencia, cuando el mundo entero es testigo de los papelones que hacen los políticos y las figuras públicas, que viven rodeadas de todo tipo de amenazas, mentiras y hasta berrinches, ampliamente difundidos en noticieros y periódicos.

Conforme las sesiones continuaban y avanzaba en el proceso de autodescubrimiento, percibía con rotunda certeza la necesidad de replantear su vida y elegir una opción. ¿Quería continuar su matrimonio?; ¿podía? ¿Quería seguir en esa relación clandestina?, ¿amaba a esa chica, a la vez que joven y hermosa, llena de obstáculos? En el aspecto profesional, ¿hacía lo que amaba? o, cuando menos, ¿amaba lo que hacía?

Dentro de esa confusión había algo que tenía muy claro y que se convirtió en su cuarzo o piedra energética de apoyo para seguir adelante: se le estaba acabando el tiempo, y aunque existiera o no la reencarnación y con ella una siguiente oportunidad de satisfacer asuntos pendientes, pensó que había que darle una opción muy seria al aquí y ahora. Sabía que eso llevaba implícito el juicio externo, y el consecuente veredicto: "culpable por egoísta". Sentía una enorme necesidad de ser él, al natural, pero al mismo tiempo se sentía indefenso ante el rechazo del grupo.

¿Se atrevería a desafiar las reglas de la comunidad?

Sobre ese tema giró la siguiente sesión con Francisco.

—Mira, Gerardo, el desafío de lo que se conoce como la cultura tribal es una cosa muy complicada. Claro, estamos hablando de un cierto nivel de desafío, no de casos patológicos.

"Volviendo al punto, la sociedad, o sea la tribu, ejerce sobre nosotros una influencia tan definitiva que salirnos de sus creencias, aunque pudieran ser erróneas, puede consumir tal cantidad de nuestra energía, que podemos enfermarnos. Esto lo dijo maravillosamente la doctora Caroline Myss en su libro *Anatomía del espíritu*, el cual, déjame ver, creo que por aquí lo tengo..., ¡aquí está! Escucha esto:

Nadie comienza su vida teniendo conciencia de ser un individuo y de poseer poder o fuerza de voluntad. Esta identidad viene mucho después y se desarrolla en fases que van de la infancia a toda la edad adulta.

Comenzamos a vivir como parte de una tribu y nos conectamos con nuestra conciencia tribal y voluntad colectiva asimilando sus fuerzas, debilidades, creencias, supersticiones y temores.

Mediante las interacciones con la familia y otros grupos aprendemos el poder de compartir una creencia con otras personas.

También nos enteramos de lo doloroso que es ser excluido de un grupo y de su energía. En el grupo aprendemos el poder de compartir un código moral y ético que se transmite como legado de generación en generación.

Este código de conducta guía a los niños de la tribu durante sus años de desarrollo, proporcionándoles un sentido de dignidad y pertenencia.

Y aquí va lo más relevante:

El poder tribal y todos los asuntos relacionados con él, está conectado energéticamente a la salud del sistema inmunitario, así como a las piernas, los huesos, los pies y el recto. En sentido simbólico, el sistema inmunitario hace por nuestro cuerpo exactamente lo que hace el poder tribal por el grupo: lo protege de influencias externas potencialmente dañinas. Las debilidades en los asuntos tribales personales

activan energéticamente trastornos relaciona-
dos con el sistema inmunitario, los dolores cró-
nicos y otros problemas del esqueleto.

Nada pudo responder Gerardo a la lectura en voz alta de Paco. Sus pensamientos giraban en torno a la misma idea obsesiva: "¿Por qué carajos el ser yo mismo tiene que agredir a los demás? ¿Por qué no puedo ser el que soy sin que alguien se sienta aludido o agredido? ¿Acaso soy yo el responsable de que los demás se sientan bien? Yo sé que mi esposa y mis hijos esperan de mí lo que un ser 'normal' debe ser, pero es que **yo no soy un ser normal**. Lamento reconocer que busco la felicidad a mi manera y admito que en ello hay una gran dosis de egoísmo. No sé siquiera si soy apto para vivir en familia, en pareja, o solo; de lo que sí estoy seguro es de que esta relación de pareja y esta vida en 'piloto automático' que llevo, me están acabando, me están consumiendo. No sé cuándo se gestó esta situación en mi destino, y aunque eso ya no importa, lo único que sé es que tengo que actuar congruentemente con estas certezas y luchar por lo que creo y lo que quiero vivir de aquí a que me marche de este mundo".

"Hoy más que nunca cobra sentido la frase de Tyron Edwards: 'Si buscáis la felicidad con espíritu egoísta, nunca la encontraréis; si la buscáis como un deber, entonces os seguirá como la sombra cuando el día declina'.

"Aunque parezca contradictorio e incongruente, quiero pensar que no busco la felicidad con un espíritu egoísta, me preocupa el presente y el futuro de mi familia y estoy dispuesto a apoyarlos en lo que a mí corresponde; pero su propio destino y su felicidad, por favor, no los pongan en mi poder porque no sé qué hacer con ellos. Yo sabré responder a mis obligaciones y compromisos, no sólo materiales sino de apoyo moral, e incluso espiritual si se requiere; pero, por favor, no me pidan que viva mi vida de tal manera que todo mundo esté tranquilo, menos yo, porque no puedo.

"Yo sé que no soy una isla, que vivo en sociedad, y estoy dispuesto a seguir viviendo así, pero hay cosas de esta sociedad que no acepto y voy a luchar para que eso no me consuma la energía, no me enferme, no me mate. No soy perverso, soy un ser honesto, dispuesto a poner todo su valor detrás de sus convicciones. Si después de todo esto, fracaso y me doy cuenta de que me equivoqué, en este momento me estoy haciendo la promesa de reconocerlo, y si hay tiempo, enmendarlo; si no, nadie me habrá engañado, ni me voy a sentir frustrado, sólo triste por haberme equivocado, pero satisfecho por haberlo intentado."

Mientras más se adentraba Gerardo en sus pensamientos, más lejana se escuchaba la voz de Francisco tratando de traerlo de nuevo al presente, hasta que tuvo que recurrir a llamarle la atención casi con un grito:

—¡Gerardo, escúchame!

—Mira, Paco, quiero pedirte que me permitas dige-rir todo lo que ha pasado vertiginosamente por mi cabe-za en estos minutos; simplemente no puedo continuar esta sesión, estoy agotado y creo que tengo mucho que debatir conmigo mismo. Te ruego que me disculpes, ya me voy, luego te llamo para programar otra cita, con permiso.

Salió del despacho de Francisco con la imperiosa ne-cesidad de respirar aire fresco. No había otra opción, necesitaba actuar ya; por lo tanto, tomó una primera decisión, aunque un tanto precipitada, plena de convic-ción: llamó a Patricia y le solicitó que se vieran de in-mediato:

—¿Ahora mismo? —preguntó ella con un tono de asombro.

—Te ruego que sea ahora mismo —añadió en tono casi suplicante.

—Me disponía a efectuar un trámite netamente fe-menino, como es la depilación, pero si es tan urgente, aquí te espero.

—Voy para allá —cerró cortante.

No transcurrieron más de veinte minutos cuando Gerardo se presentó en casa de quien había sido su "aventura clandestina" por casi tres años; después de un tenso sa-ludo le dijo:

—Mira, Patricia, seguramente vas a pensar que estoy loco, pero quiero pedirte que terminemos esta relación

—las últimas dos palabras casi no las pronunció, pero ella no tuvo duda de lo que le pedía.

Fue tan súbito e inesperado el planteamiento que por un instante ella pensó que era otra cosa lo que había escuchado. Sin embargo, pasado el instante de sorpresa, se dio cuenta perfectamente de lo que se trataba.

—...¿Puedo saber a qué se debe esta, digamos, intempestiva petición?

—A que verdaderamente no sé lo que quiero; digo, te quiero mucho pero también estoy muy confundido.

—Pues sí se nota, ¿eh? —apuntó ella con ironía.

—Lo que pasa es que ya no puedo seguir con este juego doble en que ni estoy contigo ni estoy con mi esposa, ni me puedo entregar plenamente a ti ni a ella. Mi vida se ha convertido en la interpretación del papel de casi pareja, casi papá, casi empresario, y en este jueguito de los "casis" he de admitir que me siento como una caricatura de lo que debiera ser.

—¡Ah!, ya entramos en la fase de la culpabilidad profunda —lo atajó ella empezando a manifestar cierta rabia en su entonación—, y digo culpabilidad profunda porque culpabilidad has tenido todo el tiempo. Desde que se te pasó el chispazo del romance inicial ha sido un permanente dolor de cabeza soportar tus dudas y titubeos, y si quieres que te diga algo, los aguanté porque pensé que todo esto podía tener una salida clara; pero ahora veo que era un pensamiento muy iluso, casi infantil de mi parte. Qué bueno que de una vez se aclare nuestra situación, porque ahora veo que hubiera sido una lamentable pérdida de tiempo seguir como estábamos, sin ningún rumbo, como ahora lo podemos constatar.

—Perdóname, no espero que me entiendas, sólo que con el tiempo me perdones —imploró.

—No es sano generalizar, pero ¡ustedes los hombres sí que son únicos, realmente son un monumento al egocentrismo, al egoísmo y a todo lo que empiece con ego! —esto último lo articuló ya con gritos.

—¡Por favor no te pongas así!, mira que...

—¿Tú crees que una relación como la que llevábamos se da por terminada así nada más, con un "Perdóname, pero con el tiempo lo vas a entender"? ¡No tienes madre!

—Sólo he tratado de ser plenamente honesto; te repito, mi vida se está convirtiendo en una farsa por todos lados y ya no puedo seguir así. Voy a vivir solo, por lo menos un tiempo, para tratar de definir qué es lo que debo hacer con mi vida.

—Mira, ya vamos a dejarlo ahí, simplemente márchate y hagamos de cuenta que ni nos conocimos.

—Yo no sé si eso sea tan fácil.

—¡Y entonces qué quieres, carajo!, ¿que me quede como si nada y esperando además que un día cambie de parecer el príncipe azul?

—No, no espero eso, sólo dije que no creo que sea tan sencillo.

—Fácil o difícil, adiós —al decir esta frase simultáneamente le abrió la puerta, con un gesto por demás elocuente y definitivo.

Sin mayor trámite Gerardo salió, con el semblante descompuesto, llevando a cuestas la tristeza correspondiente a ese tipo de despedida, pero experimentando, en algún lugar de su espíritu, una sensación de alivio, o cuando menos un principio de alivio.

Era el momento de poner cada tema en su lugar. Ya no podía, ni debía, parar la inercia de ese momento; de manera que, aunque estaba exhausto, motivado por su convicción y la promesa de un futuro más honesto y por lo tanto más libre, emprendió el camino a casa.

No sabía si por buena o mala suerte, pero Diana había salido; sólo estaba Jaime, a quien preguntó:

—¿Qué sabes de tu mamá?

—No tengo la menor idea, yo llegué hace diez minutos.

En ese momento cayó en cuenta de que hacía mucho tiempo que no establecía comunicación con su hijo, ese sujeto que tenía enfrente.

Estuvo tentado a arremeter contra él, preguntándole dónde había estado y qué era de su vida, sus estudios, y toda esa clase de cuestionamientos que a veces, más por forma que por fondo, hacen los padres distantes. No obstante, sintió que ni era el momento ni tenía la autoridad moral para hacerlo, por lo que se limitó a lanzarle un:

—Hace tiempo que no coincidíamos, ¿cómo estás? —no pudo evitar que se escuchara en su voz un dejo de ternura y emoción, las cuales fueron percibidas con claridad por su hijo.

—Bien —sintió tal cambio e incluso fragilidad en su padre que no supo con qué otro comentario acompañar su respuesta, pero tuvo la certeza de que éste era un momento importante en su relación. A fin de cuentas, él estaba decidido a cambiar y algo le decía que su padre se encontraba en una encrucijada, por lo que, sin dar más oportunidad a la duda, añadió—: ¿y tú, cómo estás?

Se sintió algo extraño dirigiéndose en ese tono a su padre, con quien siempre mantuvo una relación de ataque-defensa-ataque.

—Ahí vamos, con problemas, pero luchando.

Le bastó escuchar de su padre que tenía problemas y que estaba luchando, para sentirse plenamente identificado y entonces apuntar:

—Mira pa', yo sé que he pasado por momentos de mucha confusión, rebeldía, no sé, llámales como quieras, pero también quiero que sepas que me estoy dando cuenta de muchas cosas y que quiero recuperar el tiempo perdido, no sólo en mis estudios sino también en mi vida personal.

—Pues me da mucho gusto pero, ¿qué significa eso en concreto? —no pudo evitar caer en sus típicas actitudes de padre inquisidor.

Jaime, sin responder a la provocación y con mucho aplomo, añadió:

—Significa que quiero ser alguien útil a mí mismo y a los demás. Que de alguna manera me he dado cuenta de que la vida la puedes aprovechar o la puedes desperdiciar en una colección interminable de pendejadas, pensando además que tú estás bien y los demás están mal, que el hecho de divertirse y pasarla bien no está peleado con el hecho de ser responsable y respetuoso.

"Mira, aunque tú no lo sepas, he tenido contacto con gente que me ha hecho recapacitar, reconocer posturas equivocadas y estoy seguro de que si no me pongo en acción yo mismo y ahora mismo, nadie lo va a hacer por mí."

Al escuchar a su hijo hablar de esa manera, Gerardo sintió a la vez una gran emoción, por el grado de madurez de sus palabras, y una cierta incomodidad porque sabía muy bien que no era él el causante de esa toma de conciencia. Por el contrario, le quedaba más claro que nunca que al querer inculcarle eso mismo, pero por decreto, a contrapelo y sin un ejemplo personal de por medio, lo único que consiguió fue provocar una rebeldía que le pudo haber causado un problema mayor. Sin embargo, se sentía profundamente recompensado al comprobar que, por la vía que fuera, su hijo estaba asumiendo esa postura.

No quiso contaminar ese maravilloso momento con ningún otro comentario, sólo estrechó a Jaime y le comunicó:

—¡Cuenta conmigo para lo que sea!

Dado lo absurdo de los acontecimientos, nadie logró comprender lo que sucedió. ¿Cómo va a entenderse que, justo cuando había tomado conciencia de su realidad y de su responsabilidad, cuando había iniciado la batalla por la reconquista de Lucía, cuando estaba limpiando su mente y su cuerpo de sustancias tóxicas; justo cuando muchas cosas hermosas estaban por acontecer, el destino hubiera decidido hacerle una mala jugada, quizá la peor que pudiera imaginarse?

Para muchos era la justa retribución a lo que siempre buscó; para su padre, quien percibió de inmediato, no sólo su meritorio cambio, sino su gran potencial de lograr lo que se propusiera, era la injusticia más grande que un ser humano pudiera experimentar.

El hecho es que, con justicia o sin justicia, con razón o sin razón, ahí estaba postrado, indefenso, con un panorama sombrío y muy complicado.

Inválido, inerme, pero para su desgracia plenamente consciente, consciente del presente, pero también consciente del pasado y del futuro, de su futuro, de su lamentable futuro.

Y fue entonces cuando los acontecimientos se le vinieron encima una y otra vez como avalancha de recuerdos dolorosos, de interminables pesadillas, de recriminaciones por lo que hizo y no debió haber hecho, de lo que pudo ser y no será.

¿Cómo fue posible que cediera a las presiones de su amigo para acompañarlo a ese antro? ¿Cómo fue posible que no pusiera en práctica su instinto de supervivencia? ¿Cómo fue posible que no recordara que para sacarse la lotería hay que comprar boleto? Y, sí, eso fue lo que hizo, comprar un boleto, un boleto sólo de ida, sin viaje de regreso, el boleto premiado.

Lamentablemente, ya era tarde para arrepentimientos, para lamentos, para enmendar lo no enmendable. Ahora sólo le quedaba ubicarse en torno a su nueva realidad, a la prueba de todas las pruebas.

¿Por qué estaba en casa cuando entró esa fatídica llamada?, o quizá, ¿por qué no fue capaz de negarse a los acosos del grupo?, en este caso ni siquiera del grupo.

¿Acaso el hecho de que se tratara de Beto justificaba su debilidad? ¿Tenía realmente ganas de sumarse a ese absurdo proyecto?

El plan era como muchos otros en los que había participado, con la diferencia de que a éste se negó en una primera instancia.

—No puedo, Beto, no tengo dinero.

—A ver, ¿cuándo ha sido pedo el billete, andando con tu rey mago?

—No, es que también estoy un poco cansado, ahora sí le estoy chingando duro a la escuela.

—Mira, Jimmy, para descansar está la tumba, y eso quién sabe, porque en una de ésas también nos lanzamos de calacas rumberas. Además, tú no me puedes fallar, güey, porque cuando a ti se te ha ofrecido, yo te he hecho el paro, ¿o no?

—Está bien, vamos, nomás que regresamos temprano.

—¡No te predispongas, chingao!, va a estar a toda madre, ahí van unos culazos de miedo.

—Okey, ¿pasas por mí?

—¡Claro, pendejo!, ni modo que te vayas en taxi, ¿o qué, ya te dieron nave?

—¡Ya déjate de mamadas y dime a qué horas!

—Las de siempre: nueve y media.

Todo transcurría con normalidad, hasta que la combinación de ímpetu y alcohol produjeron el chispazo que detonó el problema.

Resulta que camino a los baños Beto descubrió, o tal vez redescubrió, a Irma, una novia del pasado, cuya figura había mejorado notablemente con el paso del tiempo:

—¡No me digas que eres Irma Acosta! —la saludó visiblemente entonado.

—Pues sí, soy yo —respondió la chica con aprensión, temiendo que aquello se complicara, conociendo al sujeto y a su novio que la esperaba en la mesa.

—¡Pues yo también soy Beto!, ¿cómo la ves?

—Gusto en saludarte, me tengo que ir, con permiso —quiso concluir ella.

—No, pérate, me cae que quiero cotorrear un rato contigo.

—Con la pena, pero me tengo que ir.

—¡No, hombre!, ¿a dónde vas que mejor te traten? —le preguntó asiéndola por la cintura.

Jaime, que siguió la trayectoria de su compañero, observó la escena y de inmediato se incorporó con toda la intención de prevenir un problema.

Al verlo llegar, Beto lo recibió casi con un grito:

—¡Jimmy!, te presento a Irma, ¿a poco no está bien cuero? Te dije que aquí iba a haber buen material.

—Sí, Beto, pero ya se tiene que ir —le contestó, tratando de liberar a la chica del mal rato.

—Pus si sólo quiero cotorrear un ratito, ¿qué tanto es tantito?

—Mejor que te dé su teléfono y otro día le llamas —se le ocurrió como un recurso convincente.

—¡Ni máiz!, el mañana no existe, además ya estamos aquí y juntitos —dicho lo anterior la tomó por los hombros con ambas manos y la estrechó con fuerza, haciendo inútiles los esfuerzos de la chica por zafarse.

—Pérate, Beto, Irma ya se tiene que...

Jaime no tuvo tiempo de terminar la frase ya que a sus espaldas se oyó la voz del novio, quien seguramente ya había empezado a extrañar la presencia de su pareja, y al buscarla se encontró con la desagradable escena.

—¿Qué traes con mi novia, güey?, ¡suéltala!

Tal vez por lo inesperado del arribo del novio, o quizá por el empujón que éste le propinó, el hecho es que Beto soltó a la chica a la vez que respondió:

—¿Qué te pasa a ti, güey?, sólo estamos platicando.

—¡Ni madres!, la estás molestando, ¿crees que no te vi, pendejo?

—Ora sí te pasaste, hijo de la chin... —no terminó siquiera la expresión, ya que prefirió responder con hechos más que con palabras, de manera que descargó en el rostro del novio certero y sorpresivo puñetazo que lo proyectó directamente al suelo.

A partir de ese momento la confusión fue total, así como el alud de insultos, gritos y, para desgracia de Jaime, proyectiles, uno de los cuales, una botella de ron, encontró su objetivo directamente en su nuca.

Dicen por ahí que la vida es mañosa y traviesa cuando teje el azar, lo cual se cumplió en este caso, ya que Irma y su novio formaban parte de un grupo de ocho personas en pleno festejo, de manera que al detectar el problema la parte masculina casi automáticamente se incorporó a la gresca, llevando consigo cuanto objeto pudiera ser útil para la refriega.

Ante la desproporción numérica, fue poca la resistencia que Beto y Jaime pudieron oponer antes de que el personal de seguridad del lugar impusiera el orden. El hecho es que cuando éste se restableció, los dos cuerpos yacían en el suelo, uno inconsciente, el otro en posición fetal tratando de cubrir su cabeza y su rostro con las manos que, al igual que los brazos, mostraban múltiples heridas sangrantes, producto de cuchillos y tenedores que habían pretendido perforar zonas vitales.

Si bien el orden se restableció, la confusión seguía presente. Con excepción de un pequeño grupo, nadie sabía qué había pasado; cómo había empezado el problema; quiénes eran los sirios y quiénes los troyanos; si los cuerpos inmóviles en el suelo pertenecían al mismo bando, o si cada uno reportaba un herido.

Dentro de su pérdida de conciencia, Jaime tuvo su propia experiencia con el más allá:

—¿Dónde estoy?

—En tránsito.

—¿Hacia dónde?

—Hacia ti mismo.

—¿Y eso dónde está?

—En ti mismo.

—¿Quién eres?

—Tú mismo.

—¿Qué debo hacer?

—En ti mismo.

—¿Por dónde empiezo?

— Por ti mismo, en ti mismo, en ti mismo, en ti...

No sabía si estaba vivo o muerto, lo cierto es que después de esa introducción no le quedó ninguna duda de que debía someterse al escrutinio de "sí mismo".

Más que hacer declaraciones, se sentía en la necesidad de plantear muchas preguntas; pero se dio cuenta de que era inútil, no era momento para preguntas, así que se fue desprendiendo, primero de resistencias, después de su propia piel hasta quedar, no sólo desnudo sino auténticamente fuera de su cuerpo. Entonces se vio, no en un espejo, sino completamente desde fuera de sí, como si estuviera observando a otra persona, aunque se tratara de él mismo.

Primero analizó la apariencia externa de ese auto-sujeto, esa apariencia a la que había dado tanta importancia, y que no sólo le había inquietado sino incluso desquiciado, al grado de anteponer su imagen y el "cómo me veo" a cualquier necesidad ajena a sí mismo. Por contradictorio y absurdo que parezca, se dio cuenta de que sus actos, sobre todo de los últimos años, habían estado encaminados a destruir eso que tanto le preocupaba: el abandono de toda actividad deportiva, los excesos, el poco descanso.

Súbitamente esa imagen se transformó, no en la de un anciano de ochenta años, sino en la de un joven con apariencia de tener ochenta años. Lo que vio le horrorizó y le provocó escalofríos en el alma, ya que ni siquiera experimentaba sensaciones físicas en su propio cuerpo.

Enseguida pasó al mundo de las actitudes negativas que le habían acompañado durante los últimos años. Esas creencias convertidas en actos de insolencia, prepotencia, egoísmo, irresponsabilidad, inconciencia, ¿hacia qué?, hacia todo lo que no era su propia vida o de su interés y agrado.

Como película pasaron por su mente las innumerables ocasiones en que incurrió en situaciones plagadas de esos ingredientes y se sintió profundamente apenado y triste, tanto que ya no quería seguir observando a ese sujeto, que de anciano pasó a ser un títere pintarrajeado de piel y cabellera, idéntico a un comodín de un juego de naipes, o a un muñeco de una caja de sorpresas.

También quiso revisar sus actitudes positivas, pero para su desilusión no encontró nada más que un deseo de cambio de última hora, al cual se aferró para hacer más soportable ese trance; pero poco le duró el respiro, ya que se le vino encima el inventario de sus talentos, esas semillas que el poder supremo puso en su haber para hacerlas germinar en plan grande. Y de nuevo lo que vio le horrorizó. ¿Cómo era posible que siendo atractivo, inteligente, simpático, saludable y con recursos, hasta ese momento no conseguía reconocer un solo logro, triunfo, éxito o satisfacción correspondiente a esas armas que se le dieron para la batalla? Por el contrario, se percató de que no sólo no las acrecentó, sino que cada día que pasaba las despilfarraba miserablemente.

Para ese entonces el muñeco de las sorpresas ya había sido sustituido por una imagen borrosa y poco perceptible, hasta que desapareció por completo.

—Jaimito, mi amor, ¿cómo te sientes?

La pregunta de su mamá encontró una lánguida respuesta, más que nada con los ojos. No sabía a ciencia cierta qué tenía, pero presentía que era algo grave, ya que las piernas le pesaban increíblemente, no podía moverlas. Tenía pánico de intentar hablar y que no le respondieran la lengua, los labios, los dientes. Cerró los ojos y vino a su mente la imagen de Lucía, de ese reciente encuentro en el que le pidió, casi suplicó, que volvieran a intentarlo.

—No, Jaime, ya no puede ser.

—¿Pero por qué? Si ya soy otro, y lo hice por ti.

—Perdóname, pero yo creo que en todo caso con eso eres tú quien se beneficia.

—Okey, pero ya cambié.

—Me da mucho gusto y te felicito.

—Entonces vamos a intentarlo.

—Te repito que ya no se puede.

—¿Por qué?

—Porque tengo novio.

—¡Pero tú me quieres a mí!

—¡Corrección!, te quise y mucho, pero tú tomaste otra opción. La vida siguió su curso, apareció otra persona en mi vida y me voy a dar la oportunidad de ser feliz con Ramiro.

—¡Te suplico que lo pienses!

—Ya lo decidí y te confirmo que así va a ser. Te aprecio mucho, pero dudo que podamos regresar arbitrariamente las manecillas de un reloj que ya avanzó. Te agradezco tu interés por mí y a la vez te ruego que ya no me busques, no es justo ni honesto de mi parte tomar parte en estas triangulaciones. Te deseo mucha suerte, adiós.

Ese adiós le repiqueteaba en el cerebro, y sobre todo en el corazón, de una manera que lo hacía sentir aún más inválido de lo que estaba.

Empezó a experimentar un calor desesperante, sobre todo porque no tenía la fuerza requerida para deshacerse de las cobijas que lo cubrían, y no sabía si era capaz de comunicarse para pedir ayuda. Su rostro se humedeció por el sudor e intentó llamar, con la mirada, la atención de quien fuera, pero fue inútil.

No tenía una idea precisa de cuánto tiempo había transcurrido desde el incidente, pero la cabeza le dolía como si se la estuvieran oprimiendo con dos ladrillos. Para su fortuna entró un médico, quien al verlo lo liberó de las cobijas, hizo un comentario muy poco perceptible y llamó a una enfermera.

—Señorita, por favor, tómele la temperatura.

Acto seguido se dirigió a su madre que lo había seguido con la mirada.

—Quisiera hablar con usted y su esposo, si me permiten.

—¡Claro, doctor!, mi marido no tarda, fue a la cafetería.

—Estoy en el privado frente a los ascensores, ahí los espero.

Cuando Gerardo regresó, aprovechando que la enfermera se encontraba a cargo de Jaime, Diana se incorporó y le informó:

—El doctor nos espera en su despacho.

Él no respondió, sólo volvió la mirada a su hijo a la vez que pensaba: "Ay, carajo, cuáles serán las noticias".

—Señores, han pasado setenta y dos horas desde el ingreso de su hijo y, si bien es cierto que no ha habido retrocesos, tampoco se percibe una mejoría que nos permita hacer un pronóstico confiable. Por el momento, lo único que puedo decirles es que su condición es estable pero con pronóstico reservado.

—Doctor, ¿pero va a poder volver a...? —interrumpió la madre.

—Señora, les repito que tenemos que esperar un poco más —el médico no la dejó terminar—. Las consecuencias de las fracturas cervicales pueden ser muy variables, y si además consideramos la fisura en la estructura ósea occipital, realmente todo puede suceder. Sin embargo, es tranquilizador el hecho de que no se han producido complicaciones adicionales.

En ese momento entró la enfermera con la noticia:

—Doctor, el paciente tiene cuarenta y un grados de temperatura y muestra síntomas de delirio.

Como resorte se pusieron de pie padres y médico, y sin recato alguno salieron corriendo hacia la habitación, donde encontraron a Jaime vociferando:

—¡Lucía, Lucía!, ¿por qué ya no se puede? Yo sé que sí quieres, sólo pretendías darme celos, ya lo lograste, pero ahora, ¡por favor!, vuelve conmigo, mira que ya entendí muchas cosas, nunca es tarde cuando se ama como tú y yo nos amamos, mira que estoy dispuesto a...

No pudo continuar, perdió el conocimiento y quedó en estado vegetativo durante tres meses, al cabo de los cuales un coágulo inclinó la balanza de su destino a favor del deceso.

Después de ocho meses de haber enterrado a su hijo, ocho meses de indescriptible tristeza, de soledad, de un vacío que terminaba por vaciarlo a él también, un buen día Gerardo se encontraba en su oficina. Hacía su mejor esfuerzo, al igual que en los otros doscientos cuarenta y seis días que le precedieron, cuando recibió un extraño correo electrónico cuyo remitente no pudo identificar pues era un código totalmente desconocido; incluso temió que se tratara de un virus. No obstante, el título del mismo, "Diez Secretos", le inquietó tanto que se decidió a abrirlo.

Al iniciar su lectura inició también un profundo acceso de llanto:

Papá: Sé que todo esto ha sido muy difícil, sobre todo para ti, porque estás muy solito, y estabas convencido de que Jaime iba a salir adelante y ser un triunfador. Yo también estoy muy triste por mi hermano y por ti porque no soporto verte sufrir tanto.

No me pareció bien que te hayas ido a vivir solo pero, como dices, "era necesario hacerlo", y aunque no lo entiendo te respeto y quiero que sepas que cuentas conmigo para lo que te pueda ser útil.

En estos momentos estoy en casa de Tatiana y me pasó este documento, que quiero compartir contigo de inmediato, así que te lo mando, junto con todo mi cariño.

Te quiere mucho, tu hija
Diana

El anexo decía simplemente:

Diez secretos para la felicidad

1. La actitud

La felicidad es una elección que podemos hacer en cualquier momento y lugar.

Son nuestros pensamientos y no las circunstancias los que nos hacen sentir bien en lugar de mal.

Recuerda que lo único que puedes controlar son tus pensamientos.

2. El cuerpo

Nuestros sentimientos pueden ser influenciados por nuestra postura; por lo tanto, una postura adecuada genera una disposición positiva.

Es importante hacer ejercicio, pues libera el estrés y genera la secreción de endorfinas, las cuales hacen que uno se sienta bien.

3. El momento

La felicidad no reside en los años, meses, semanas o días que vivamos. Sólo se le puede encontrar en cada momento. "Hoy es el mañana del ayer."

Démosle a la vida la oportunidad de sorprendernos, tratemos de superar los traumas del pasado y de no depender demasiado de las expectativas del futuro.

Recordemos que la felicidad no es una meta, sino un trayecto.

4. La propia imagen

Aprendamos a amarnos a nosotros mismos como somos. Creer en uno mismo da resultados.

Para querernos, debemos conocernos.

Dag Hammarshold decía: "El camino más difícil es el camino al interior."

Y, al menos una vez en la vida, debemos recorrerlo.

5. Las metas

La diferencia entre un sueño y una meta es que esta última es un sueño con una fecha concreta para convertirse en realidad.

Cuando te fijes una meta difícil o creas que tienes un sueño imposible, recuerda que el éxito es sólo la recompensa, pero aun en el esfuerzo hay una ganancia.

6. El humor

Cuando sonreímos, aunque de momento no sintamos nada especial, nuestro cerebro lo interpreta como una señal positiva y manda el mensaje al sistema nervioso central, liberándose betaendorfinas, que dan a la mente una respuesta positiva.

Una sonrisa cuesta menos que la electricidad, y da más luz.

7. Las relaciones

Siempre que dos o más personas se unen en un espíritu de colaboración y respeto, la sinergia y la empatía se manifiestan naturalmente.

Trata de entender a las personas que te rodean calzándote sus zapatos y caminando con ellos un tramo. Quiere a tus amigos como son, sin intentar cambiarlos, porque cuando te sientas mal, sin importar cómo sean, el verdadero amigo estará allí para apoyarte y brindarte su amor.

8. El perdón

Mientras mantengas odios y resentimientos en tu corazón, será imposible ser feliz.

Lo maravilloso del perdón no es que libera al otro de su culpa, te libera a ti de un sufrimiento del alma.

9. El dar

Aprendamos a dar sin esperar nada a cambio.

Las leyes de la energía y la justicia te devolverán lo que des, con creces.

Si das odio, tarde o temprano recibirás odio, pero si das amor, recibirás ese amor multiplicado.

10. La fe

La fe crea confianza, nos brinda paz mental y libera al alma de sus dudas, preocupaciones, ansiedad y miedos.

Ten fe, esperanza y optimismo en ti mismo y en todos los proyectos que quieras emprender.

Esta obra se terminó de imprimir
en junio del 2002, en
Litofasesa, S.A de C.V.
Prolongación Tlatenco núm. 35,
Col. Santa Catarina, C.P. 02250, México, D.F.